Writing Activities Workbook
Teacher Edition

GLENCOE FRENCH 1

Bon voyage!

Conrad J. Schmitt • Katia Brillié Lutz

Glencoe
McGraw-Hill

New York, New York   Columbus, Ohio   Woodland Hills, California   Peoria, Illinois

Notice: For teachers using the Writing Activities
Workbook, Part A and Part B, the **Révision** at
the beginning of Part B can be found at the back
of this Teacher Edition, pages R1–R20.

Glencoe/McGraw-Hill

A Division of The McGraw·Hill Companies

Send all inquiries to:
Glencoe/McGraw-Hill
8787 Orion Place
Columbus, OH 43240-4027

ISBN: 0-07-824270-3 (Teacher Edition, Writing Activities Workbook)
ISBN: 0-07-824269-X (Student Edition, Writing Activities Workbook)

Printed in the United States of America.

3 4 5 6 7 8 9 10 024 08 07 06 05 04 03

Table des matières

Chapitre 1   Une amie et un ami 1

Chapitre 2   Les cours et les profs 11

Chapitre 3   Pendant et après les cours 19

Chapitre 4   La famille et la maison 29

Self-Test 1 39

Chapitre 5   Au café et au restaurant 43

Chapitre 6   La nourriture et les courses 55

Chapitre 7   Les vêtements 65

Self-Test 2 75

Chapitre 8   L'aéroport et l'avion 79

Chapitre 9   La gare et le train 87

Chapitre 10   Les sports 95

Chapitre 11   L'été et l'hiver 105

Self-Test 3 115

Chapitre 12   La routine quotidienne 119

Chapitre 13   Les loisirs culturels 129

Chapitre 14   La santé et la médecine 139

Self-Test 4 149

Workbook, Teacher Edition
Copyright © Glencoe/McGraw-Hill

Bon voyage! Level 1, Table des matières ⚜ **iii**

CHAPITRE 1

Une amie et un ami

Vocabulaire   Mots 1

1 **Mélanie Boucher** Here's a picture of Mélanie Boucher. Write a story about her. You may want to use some of the following words.

Paris   petite   vraiment
française   brune   très
grande   amusante   assez

Answers will vary but may include the following: Mélanie Boucher est

française. Elle est de Paris. Elle est assez grande. Elle est brune. Elle est

vraiment très amusante.

2 **Un Français** Here's a picture of Stéphane Clément. Write as much about him as you can.

Answers will vary.

Brian Walker Here is a picture of Brian Walker. Describe him.

_____ *Answers will vary.* _____

_____

4 **Cognates** Check the words you can recognize.

chocolat ___*Answers will vary.*___   théâtre _____

cinéma _____   téléphone _____

hôtel _____   difficile _____

bicyclette _____   restaurant _____

5 **Une question** Complete each question with the correct question word(s).

1. *Le garçon* est de Nice.

_____**Qui**_____ est de Nice?

2. *Jean* est français.

_____**Qui**_____ est français?

3. Jean est *de Nice*.

_____**D'où**_____ est Jean?

4. Jean est *petit et brun*.

_____**Comment**_____ est Jean?

Nom _____ Date _____

Vocabulaire **Mots 2**

6 **Frère et sœur ou ami(e)?** Here are pictures of three people. Say as much as you can about each of them.

Fabien Cadet   **Charlotte Cadet**   **Anne-Sophie Verlaine**

Answers will vary.

_____

_____

7 **Le contraire** Match the word in the left column with its opposite in the right column.

1. __e__ américain   **a.** brun

2. __a__ blond   **b.** élémentaire

3. __d__ intelligent   **c.** la sœur

4. __c__ le frère   **d.** stupide

5. __b__ secondaire   **e.** français

6. __f__ petit   **f.** grand

8 **Un garçon ou une fille?** Check whether it's a boy or a girl who wrote the following sentences, or if it is impossible to tell.

G	F	?	
	✔		1. Je suis française.
✔			2. Je suis américain.
		✔	3. Je suis assez timide.
		✔	4. Je suis très dynamique!
✔			5. Je suis assez grand.
		✔	6. Je suis élève au lycée Montaigne.
✔			7. Je suis l'ami de Julie.
	✔		8. Je suis l'amie de Julie aussi.

9 **Un dessin** Draw whatever you like by connecting different dots. Then write (in words) the numbers necessary to draw your work of art!

1• 2• 3• 4• 5• 6• 7• 8•

9• 10• 11• 12• 13• 14• 15• 16•

17• 18• 19• 20• 21• 22• 23• 24•

25• 26• 27• 28• 29• 30• 31• 32•

33• 34• 35• 36• 37• 38• 39• 40•

41• 42• 43• 44• 45• 46• 47• 48•

49• 50• 51• 52• 53• 54• 55• 56•

57• 58• 59• 60• 61• 62• 63• 64•

Answers will vary. _____

_____

_____

_____

_____

Structure Les articles au singulier

10 **Le contraire** Give the opposite of each of the following.

    1. une fille _____ **un garçon** _____   **3.** une élève _____ **un élève** _____

    2. une sœur _____ **un frère** _____   **4.** une amie _____ **un ami** _____

11 **Une fille française** Complete with **un** or **une**.

Leïla est _____ **une** _____ fille française. Leïla est _____ **une** _____

                1   2

élève intelligente dans _____ **un** _____ collège à Paris. Elle n'est pas

                                     3

élève dans _____ **une** _____ école américaine.

                       4

Thomas est _____ **un** _____ garçon français. Thomas est _____ **un** _____

                      5   6

ami de Leïla. Il est élève dans _____ **un** _____ collège à Paris aussi.

                                         7

12 **Un garçon intéressant** Complete with **le** or **la**.

Qui est _____ **le** _____ garçon?

Qui ça? _____ **Le** _____ garçon blond?

Oui.

Ah, c'est Richard. Richard est _____ **l'** _____ ami de Jean-Luc. Richard est aussi _____ **le** _____ frère de Sylvie.

Sylvie Colase? Sylvie est _____ **le** _____ sœur de Richard? Elle est élève au lycée Henri IV à Paris?

L'accord des adjectifs

13 **Une fille intéressante** Complete the cartoon by making each adjective agree with the noun it modifies.

14 **La personalité** Write a sentence about each person based on the illustration

1. Olivier

2. Paul

3. Charlotte

4. Françoise

5. Freddy

1. __Olivier est (très) timide.__

2. __Paul est (très) amusant.__

3. __Charlotte est (très) intelligente.__

4. __Françoise est (très) sociable.__

5. __Freddy est (très) populaire.__

Le verbe **être** au singulier

15 **Bonjour!** Complete the following conversation with the correct form of **être**.

Olivier: Tu _____**es**_____ américaine?
                     1

Sandra: Oui, je _____**suis**_____ américaine. Et toi, tu
                         2

_____**es**_____ américain?
         3

Olivier: Non. Moi, je ne _____**suis**_____ pas américain. Je
                             4

_____**suis**_____ français.
         5

Sandra: Tu _____**es**_____ de Paris?
                     6

Olivier: Non, je ne _____**suis**_____ pas de Paris. Je
                         7

_____**suis**_____ de Pau dans les Pyrénées.
         8

Je _____**suis**_____ élève dans un collège à Pau.
             9

Sandra: Et moi, je _____**suis**_____ élève dans une école secondaire à
                         10

Boston.

16 **Olivier et Sandra** Based on the conversation in Activity 15, write two sentences about Olivier and two sentences about Sandra.

1. _**Answers will vary.**_____

2. _____

3. _____

4. _____

17 **Au contraire** Rewrite the following sentences in the negative.

1. Je suis français(e).

   Je ne suis pas français(e).

2. Je suis de Paris.

   Je ne suis pas de Paris.

3. Michelle est américaine.

   Michelle n'est pas américaine.

4. Michelle est élève dans une école secondaire américaine.

   Michelle n'est pas élève dans une école secondaire américaine.

Un peu plus

 A **Un peu de géographie** Every chapter in your workbook will include some passages with a few unfamiliar words in them. However, you should be able to understand them rather easily. You have probably noticed that many French words look a lot like English words. So when you don't know the meaning of a word, take a guess. Try the following reading.

La France est un pays. La France est en Europe. L'Europe est un continent. Paris est la capitale de la France. Paris est une très grande ville. Paris est une ville très intéressante. La France est membre de l'Union Européenne (l'U.E.). Le parlement de l'Union Européenne est à Strasbourg, en France.

B **Un continent, un pays ou une ville?** Check whether each of the following is a continent, a country, or a city.

	un continent	un pays	une ville
1. l'Afrique	✔	☐	☐
2. l'Espagne	☐	✔	☐
3. Strasbourg	☐	☐	✔
4. l'Europe	✔	☐	☐
5. l'Italie	☐	✔	☐
6. Bruxelles	☐	☐	✔

C **La Belgique** Complete each statement with the appropriate word.

1. La Belgique est un _____ **pays** _____.

2. La Belgique, comme la France, est en _____ **Europe** _____.

3. La Belgique est un _____ **pays** _____ francophone.

4. La _____ **capitale** _____ de la Belgique est Bruxelles.

5. Bruxelles est une grande _____ **ville** _____ très intéressante.

6. La Belgique, comme la France, est un _____ **pays** _____ de l'Union Européenne.

D **Jeu** Qui est l'ami de Sophie?

L'ami de Sophie est brun.

Il n'a pas de lunettes (*glasses*).

Il est à côté (*next to*) d'une fille.

_____ **First boy from the** _____

_____ **left in first row** _____

_____

Mon autobiographie

Begin to write your autobiography in French. You will have fun adding to it throughout the year as you continue with your study of French. By the end of the year, you will have a great deal of information about yourself written in French. You will probably be amazed at how much you have learned. You may even want to keep your autobiography and read it again in the future.

To start your autobiography, tell who you are and where you are from. Indicate your nationality and tell where you are a student. Also give a brief description of yourself. What do you look like? How would you describe your personality?

Mon autobiographie

CHAPITRE 2

Nom _____ Date _____

Les cours et les profs

Vocabulaire   Mots 1

1 Flore et Catherine Complete the story about the girls in the illustration.

Flore et Catherine ne sont pas américaines. Les deux filles sont

_____ françaises _____ . Elles sont amies. Les deux amies ne sont pas blondes.
                  1

Elles sont _____ brunes _____ . Elles sont très _____ intelligentes _____ .
                          2   3

2 Pierre et Paul Rewrite the story from Activity 1 so it tells about the boys in the
illustration.

Pierre et Paul ne sont pas américains. Les deux garçons sont français. Ils

sont amis. Les deux amis ne sont pas blonds. Ils sont bruns. Ils sont très

intelligents.

3 Des mots Give another word that means the same as each of the following.

1. des amies des copines _____

2. des amis des copains _____

3. une école secondaire française un collège / un lycée _____

4. pas difficile facile _____

Vocabulaire **Mots 2**

4 **C'est quel cours?** Identify the course.

1. les poèmes, les essais, les pièces de théâtre, les biographies, etc.

   __**la littérature**_____

2. les organismes vivants, les cellules, les chromosomes

   __**la biologie**_____

3. les rectangles, les triangles, les cercles, les parallélépipèdes

   __**la géométrie**_____

4. les opéras, les symphonies, les concertos et d'autres compositions orchestrales

   __**la musique**_____

5 **Les cours** Fill in your school schedule.

Heure	LUNDI	MARDI	MERCREDI	JEUDI	VENDREDI
	Déjeuner	Déjeuner	Déjeuner	Déjeuner	Déjeuner

6 **Un dessin** Draw whatever you like by connecting different dots. Then write (in words) the numbers necessary to draw your work of art!

37• 38• 39• 40• 41• 42• 43• 44•

45• 46• 47• 48• 49• 50• 51• 52•

53• 54• 55• 56• 57• 58• 59• 60•

61• 62• 63• 64• 65• 66• 67• 68•

69• 70• 71• 72• 73• 74• 75• 76•

77• 78• 79• 80• 81• 82• 83• 84•

85• 86• 87• 88• 89• 90• 91• 92•

93• 94• 95• 96• 97• 98• 99• 100•

Answers will vary.

_____

_____

_____

_____

_____

Structure Le pluriel: articles, noms et adjectifs

7 **Guillaume et Chloé** Complete the following story with **le, la, l', ** or **les.**

Guillaume est _____**l'**_____ ami de Chloé. _____**Les**_____
                  1   2

deux copains sont très sympathiques. Ils sont élèves dans _____**le**_____
                                                                      3

même lycée. _____**Le**_____ cours d'anglais est le mardi et le jeudi.
                      4

_____**La**_____ prof d'anglais, Mademoiselle Ryan, est une prof
          5

excellente. _____**Les**_____ cours de Mademoiselle Ryan sont très
                 6

intéressants et _____**les**_____ élèves de Mademoiselle Ryan sont tous
                         7

très forts en anglais!

Le verbe **être** au pluriel

8 **Au lycée** Rewrite each of the following sentences with **ils** or **elles.**

1. Martine et Annie sont françaises.

   Elles sont françaises.

2. Jérôme et Marc sont français aussi.

   Ils sont français aussi.

3. Les deux filles sont élèves dans un lycée à Paris.

   Elles sont élèves dans un lycée à Paris.

4. Les deux garçons sont élèves dans le même lycée.

   Ils sont élèves dans le même lycée.

5. Les deux filles et les deux garçons sont très copains.

   Ils sont très copains.

6. Les cours sont intéressants.

   Ils sont intéressants.

7. Les salles de classes sont grandes.

   Elles sont grandes.

8. Les professeurs ne sont pas trop stricts.

   Ils ne sont pas trop stricts.

9 **Nous, vous et les autres** Complete with a form of **être.**

1. Nous _____sommes_____ américains. Et vous, vous
   _____êtes_____ américains aussi?

2. Nous _____sommes_____ de Miami. Et vous, vous
   _____êtes_____ d'où?

3. Nous _____sommes_____ élèves dans une école à Miami.

4. Les professeurs ne _____sont_____ pas trop stricts.

5. Ils _____sont_____ sympathiques.

Tu et vous

10 **Tu ou vous?** Here are five people and five sentences. Match each person with a sentence and write that sentence next to the person.

• Tu es d'accord? • Vous êtes française?
• Vous deux, vous êtes d'accord aussi? • Vous êtes américain?
• Madame, vous êtes professeur?

1. ___Madame, vous êtes professeur?___

1. Madame Legrand

2. ___Tu es d'accord?___

2. Michel

3. ___Vous êtes américain?___

3. Monsieur Walter

4. ___Vous deux, vous êtes d'accord aussi?___

4. Charlotte et Éric

5. ___Vous êtes française?___

5. Mademoiselle Brière

L'accord des adjectifs au pluriel

11 **Des garçons ou des filles?** Check whether it's two boys or two girls who wrote the following sentences, or if it is impossible to tell.

	G	F	?
1. Nous sommes très peu patientes.		✔	
2. Nous sommes américaines.		✔	
3. Nous sommes très sociables.			✔
4. Nous sommes assez énergiques!			✔
5. Nous ne sommes pas très grandes.		✔	
6. Nous sommes très copains.	✔		
7. Nous sommes fortes en maths.		✔	
8. Nous sommes mauvais en gymnastique.	✔		

12 **En cours** Rewrite the following sentences in the plural.

1. La classe est petite.

   Les classes sont petites.

2. Le professeur est excellent.

   Les professeurs sont excellents.

3. L'élève est intelligent.

   Les élèves sont intelligents.

4. L'école est grande.

   Les écoles sont grandes.

13 **Au pluriel** Rewrite the following sentences, making all the nouns and pronouns plural. Make all other necessary changes.

1. Il est blond.

   Ils sont blonds.

2. Le cours est intéressant.

   Les cours sont intéressants.

3. Le frère de Marie est sympathique.

   Les frères de Marie sont sympathiques.

4. Je ne suis pas très patiente.

   Nous ne sommes pas très patientes.

Un peu plus

A **Quelques termes géographiques** Read the following. Take an educated guess at words you don't know.

Les Pyrénées sont des montagnes. Où sont les Pyrénées? Elles sont entre la France et l'Espagne. Les Pyrénées forment une frontière naturelle entre les deux pays.

D'autres montagnes en France sont les Alpes, le Jura, les Vosges et le Massif Central.

Les fleuves en France sont la Seine, la Loire, le Rhin, le Rhône et la Garonne.

D'autres termes géographiques sont «un océan» (l'océan Atlantique), «une mer» (la mer du Nord et la mer Méditerranée) et «un lac» (le lac Léman à Genève en Suisse).

B **Les frontières de la France** Look at the map in Activity A. Check the countries in the list below that share a boundary with France.

l'Espagne	☑	la Grèce	☐
la Suisse	☑	la Belgique	☑
la Russie	☐	la Pologne	☐
l'Angleterre	☐	l'Allemagne	☑
l'Italie	☑		

C **La géographie des États-Unis** What are the following?

1. Les Rocheuses (*Rockies*) __des montagnes__

2. le Mississippi __un fleuve__

3. le Pacifique __un océan__

4. le lac Érié __un lac__

Mon autobiographie

Write the name of a good friend. _____

Now tell where your friend is from and where he or she is a student. Give a brief description of him or her **(Il / Elle est...)**. Then mention some things you have in common **(Nous sommes...)**.

Mon autobiographie

CHAPITRE 3

Pendant et après les cours

Vocabulaire Mots 1

1 Légendes Complete the captions for each of the following illustrations.

1. Patrick _____**arrive**_____ à l'école
   à huit _____**heures**_____.

2. Il passe la _____**journée**_____ à l'école.

3. Les élèves _____**regardent**_____ une vidéo.

4. Deux élèves écoutent des
   _____**cassettes**_____.

5. Elle _____**lève**_____ la main.

6. Elle _____**pose**_____ une question.

7. Il passe un _____**examen**_____.

8. Il n'_____**aime**_____ pas les examens.

9. Pendant la récréation, ils jouent dans la
   _____**cour**_____.

10. Ils _____**parlent**_____ avec les copains.

Vocabulaire Mots 2

2 **À la papeterie** Identify what Chloé needs to buy for school.

1. ___un sac à dos___   2. ___un livre___   3. ___un cahier___

4. ___une gomme___   5. ___une calculatrice___   6. ___un crayon___

7. ___un stylo___   8. ___un feutre___

3 **Fournitures scolaires** What will you buy for the following classes?

 1. le cours de maths

_____*Answers will vary.*_____

_____

2. le cours de français

_____

_____

3. le cours d'histoire

_____

_____

4 **Qui travaille?** Answer briefly with a word or phrase.

    1. Qui travaille après les cours?

       Answers will vary.
      _____

    2. Où est-ce qu'il/elle travaille?

      _____

    3. Il/Elle travaille combien d'heures par semaine?

      _____

5 **Un dessin** Draw whatever you like by connecting different dots. Then write (in words) the numbers necessary to draw your work of art!

100•	121•	134•	157•	178•	199•	201•	214•
220•	226•	230•	251•	269•	288•	300•	307•
316•	327•	345•	360•	372•	381•	396•	401•
429•	445•	463•	481•	498•	500•	516•	527•
543•	550•	569•	583•	597•	603•	611•	630•
643•	669•	688•	707•	716•	732•	751•	766•
785•	799•	804•	815•	830•	856•	871•	890•
900•	962•	971•	983•	989•	994•	998•	1000•

_____

_____

_____

_____

_____

Structure Les verbes réguliers en -er au présent

6 **Tu aimes ou tu n'aimes pas?** Write whether you like or don't like each of the illustrated school subjects.

 1.    2.    3.

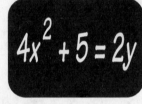 4.    5.

1. ___*Answers will vary.*___
2. _____
3. _____
4. _____
5. _____

7 **Moi** Answer personally in complete sentences.

1. Tu habites dans quelle ville?

   ___*Answers will vary.*___

2. Tu habites dans une maison ou un appartement?

   _____

3. Tu regardes la télévision? Quand?

   _____

4. Tu parles au téléphone avec des copains?

   _____

5. Tu travailles après les cours?

   _____

6. Tu étudies beaucoup à la maison?

   _____

8 **Qui parle quelle langue?** Complete each sentence with the correct form of **parler**.

1. Moi, je _____ **parle** _____ français et anglais.

2. Tu _____ **parles** _____ les deux langues aussi?

3. Mais Juliette, elle ne _____ **parle** _____ pas anglais.

4. Quand je _____ **parle** _____ à Juliette, je _____ **parle** _____ toujours français.

5. Juliette et moi, nous ne _____ **parlons** _____ pas anglais ensemble.

6. Et quand tu _____ **parles** _____ à Fred, qu'est-ce que vous _____ **parlez** _____?

7. Vous _____ **parlez** _____ français ou anglais?

8. Nous _____ **parlons** _____ japonais!

9 **Victor et Sarah** Read the following information about Victor and Sarah. Write a paragraph on what they have in common.

Victor habite à Paris.	Sarah habite à Paris.
Il est au lycée Henri IV.	Elle est au lycée Molière.
Il parle espagnol et allemand.	Elle parle anglais et espagnol.
Il est sympathique.	Elle est dynamique.
Il est timide.	Elle aime parler au téléphone.
Il travaille après les cours.	Elle est très intelligente.
Il étudie beaucoup.	Elle travaille dans une papeterie le soir.
Il aime les maths.	Elle aime écouter des CD.
Il aime regarder des vidéos.	Elle aime la géométrie.
Il parle souvent à des amis au téléphone.	Elle est sympathique.

    Victor et Sarah habitent à Paris. Ils sont au lycée. Ils parlent espagnol. Ils

travaillent après les cours. Ils aiment la géométrie. Ils parlent souvent à

des amis au téléphone. Ils sont sympathiques.

_____

_____

_____

_____

_____

_____

10 **En classe ou à la maison?** Write where people are more likely to do each of the following activities—in class or at home. Use the pronoun **on.**

    1. passer un examen

       On passe un examen à l'école.

    2. écouter un CD

       On écoute un CD à la maison.

    3. regarder le professeur

       On regarde le professeur à l'école.

    4. parler au téléphone

       On parle au téléphone à la maison.

    5. parler français

       On parle français à l'école. / On parle français à la maison.

La négation des articles définis

11 **À la papeterie** Write what school supplies Guillaume buys and does not buy according to the illustration.

Guillaume achète... **un sac à dos, un crayon, une règle, un classeur, une calculatrice, une gomme**

Guillaume n'achète pas... **_Answers will vary but may include:_ pas de livre, pas de stylo, pas de feutre, pas de cahier.**

Nom _____ Date _____

Verbe + infinitif

12 **Tu aimes ou tu n'aimes pas?** Write a sentence telling whether you like or don't like to do each of the illustrated activities.

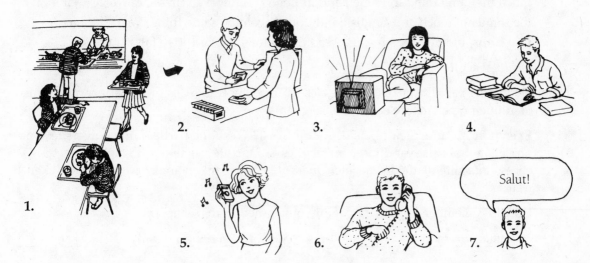

1. J'aime / Je n'aime pas déjeuner à la cantine.
   _____

2. J'aime / Je n'aime pas travailler après les cours.
   _____

3. J'aime / Je n'aime pas regarder la télévision.
   _____

4. J'aime / Je n'aime pas étudier.
   _____

5. J'aime / Je n'aime pas écouter la musique.
   _____

6. J'aime / Je n'aime pas téléphoner (à des amis).
   _____

7. J'aime / Je n'aime pas parler français.
   _____

Un peu plus

 Faux amis You have seen cognates—words that look the same and mean very much the same thing in French and in English. However, there are words that look the same in French and English, but don't mean the same thing. We call them **des faux amis,** literally, *false friends*. Read the following about two false friends.

Faculty **Faculté**

En anglais, *a faculty*, qu'est-ce que c'est? C'est l'ensemble des professeurs d'une école ou d'une université. Ce sont les enseignants.

Et en français, **une faculté,** qu'est-ce que c'est? C'est une partie d'une université. Une université française est divisée en facultés—la faculté des lettres, la faculté des sciences, la faculté de médecine, etc. Quel est l'équivalent en anglais du mot **faculté** en français?

Do you remember another **faux ami** you learned in this chapter?

<u> passer un examen = to take an exam (not to pass an exam) </u>

 Devinez! You do not know the verb **enseigner,** but you may be able to guess its meaning by reading the following.

Un professeur enseigne. Un élève n'enseigne pas, il étudie.

1. If teachers do this, what do you think the word **enseigner** means?

   <u> to teach </u>

2. Go back to the reading selection in Activity A and find the noun form of this verb.

   Un professeur est un <u> enseignant </u>.

Les langues As you continue to study French, you will be able to recognize words in other Romance languages. The Romance languages—French, Spanish, Italian, Portuguese, and Romanian—have a great deal in common because they are all derived from Latin. Look at these words in Spanish and Italian. Can you write their French equivalents?

espagnol	italien	français
estudiar	studiare	**étudier**
una escuela	una scuola	**une école**
el profesor	il professore	**le professeur**

Mon autobiographie

Write about your life as a student. Tell some things you do in school each day.
Mention things you like to do and things you don't like to do. Then tell some things
you do after school. If you have a part-time job, be sure to write about it.

Mon autobiographie

Workbook, Teacher Edition
Copyright © Glencoe/McGraw-Hill

La famille et la maison

Vocabulaire | Mots 1 |

1 **La famille Terrier** Complete the sentences based on the family tree.

1. Denis est _____le fils_____ d'Anne.

2. Sophie est _____la tante_____ de Pierre.

3. Cécile est _____la femme_____ de Denis.

4. Laure est _____la petite-fille_____ de Marc.

5. Guillaume est _____le mari_____ de Sophie.

6. Pierre est _____le cousin_____ de Jeanne.

7. Denis est _____l'oncle_____ de Laure.

8. Marc et Anne sont _____les grands-parents_____ de Laure.

9. Laure et Jeanne sont _____les cousines_____ de Pierre.

10. Jeanne est _____la nièce_____ de Denis.

11. Sophie est _____la sœur_____ de Denis.

12. Pierre est _____le neveu_____ de Sophie.

13. Anne est _____la grand-mère_____ de Pierre.

14. Marc est _____le grand-père_____ de Jeanne.

2 **La famille X** Look at the following family portrait. Give them names and write a description of this family: who is who, how old each one is, where they live, what nationality they are, where they are students, if they are.

Answers will vary.

_____

_____

_____

_____

_____

3 **Anniversaires** Give the following dates.

1. l'anniversaire de ta mère ___ _Answers will vary._ _____

2. l'anniversaire de ton frère ou de ta sœur _____

3. l'anniversaire de ton père _____

4. ton anniversaire _____

4 **Toi** Give the following information about yourself.

1. ton nom ___ _Answers will vary._ _____

2. ton âge _____

3. ton adresse _____

4. ton numéro de téléphone _____

5. ton adresse e-mail _____

Vocabulaire Mots 2

5 **Une maison** Look at the floor plan of the house. Identify each room.

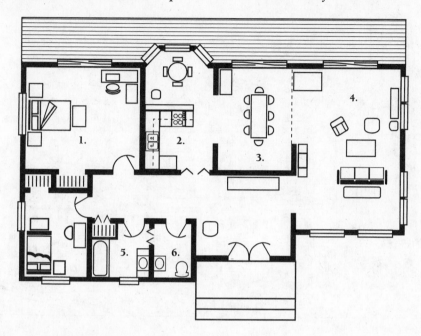

1. ___une chambre à coucher_____

2. ___la cuisine_____

3. ___la salle à manger_____

4. ___la salle de séjour_____

5. ___la salle de bains_____

6. ___les toilettes_____

6 **Une maison ou un appartement?** Indicate whether each item is associated more with a house or an apartment.

	une maison	un appartement
1. le garage	✔	
2. le balcon	(✔)	✔
3. la terrasse	✔	
4. le jardin	✔	
5. l'ascenseur		✔
6. le cinquième étage		✔

7 **La maison des Haddad** Answer according to the illustration.

1. La maison est grande ou petite?

   La maison est grande.

2. Elle est à Paris ou dans un village?

   Elle est dans un village.

3. Elle est près d'une station de métro?

   Non, elle n'est pas près d'une station de métro.

4. La maison a un garage?

   Oui, elle a un garage.

5. Qu'est-ce qu'il y a dans le garage?

   (Il y a) une voiture.

6. La maison a un jardin?

   Oui, elle a un jardin.

7. Qu'est-ce qu'il y a dans le jardin?

   (Il y a) des fleurs.

Structure Avoir au présent

8 **Ta famille** Answer the following questions.

1. Tu as des frères et des sœurs? Combien? Quel est leur nom?

   _**Answers will vary.**_____

2. Tu as des cousins et des cousines? Combien? Quel est leur nom?

   _____

3. Tu as des oncles et des tantes? Combien? Quel est leur nom?

   _____

4. Vous avez un chat ou un chien?

   _____

5. Vous avez une maison ou un appartement?

   _____

6. Il y a un garage?

   _____

9 **L'âge** Give the age of each member of your immediate family. Start with yours.

   Moi, j'ai _**Answers will vary.**_____

   _____

   _____

   _____

   _____

   _____

Les adjectifs possessifs

10 **Ma famille** Complete each sentence with one of the choices given.

1. J'aime beaucoup ma _____famille_____ .

   ☐ cousin   ☐ amie   ☐ famille

2. Tu es son _____copain_____ ?

   ☐ copine   ☐ copain   ☐ tante

3. Voilà mes _____parents_____ .

   ☐ frère   ☐ cousin   ☐ parents

4. Mon _____chien_____ est amusant.

   ☐ chien   ☐ fille   ☐ sœur

5. Je ne suis pas son _____amie_____ !

   ☐ fille   ☐ sœur   ☐ amie

6. Ma _____cousine_____ est très sympathique.

   ☐ ami   ☐ cousine   ☐ amie

11 **À qui?** Complete the sentences, choosing the correct possessive adjective.

1. (mon / ma / mes) Tu as _____mon_____ livre de maths?

2. (notre / nos) C'est _____notre_____ maison.

3. (leur / leurs) Voilà _____leur_____ enfant.

4. (ton / ta / tes) Où est _____ton_____ sac?

5. (votre / vos) Où habitent _____vos_____ amis?

6. (son / sa / ses) Quel âge a _____son_____ frère?

12 **Mes cousins** Complete with the appropriate possessive adjectives.

Bonjour, tout le monde! Je m'appelle Samuel David. Guy David est

_____mon_____ cousin et Estelle Goldfarb est _____ma_____ cousine. Le père de
    1   2

Guy est le frère de _____mon_____ père et le père d'Estelle est le frère de
                      3

_____ma_____ mère.
  4

Mon cousin Guy a une nouvelle amie. _____Son_____ amie s'appelle Léa.
                                     5

_____Ses_____ parents habitent à Bordeaux. Les parents de qui? De Léa ou de
  6

Guy? Oui, bien sûr, ce n'est pas clair. Les parents de Léa. Guy et _____sa_____
                                                   7

nouvelle amie sont élèves dans le même lycée.

13 **Votre famille** Answer the following questions about yourself and your family.

1. Votre maison ou votre appartement est grand(e) ou petit(e)?

   **Answers will vary but may include: Notre appartement est petit.**

2. Vous avez une voiture? Quelle est la marque de votre voiture? (Ford, Chrysler, etc.)

   _____

3. Vous aimez vos voisins?

   _____

Les adjectifs **beau**, **nouveau** et **vieux**

14 **Quelle famille!** Complete with the appropriate forms of **beau**.

La famille Lejard est une très _____**belle**_____ famille. Benoît est un
1

_____**beau**_____ garçon. Sa sœur Aurélie est une _____**belle**_____
2   3

fille. M. Lejard est un _____**bel**_____ homme. Et sa femme, Mme
4

Lejard, est une _____**belle**_____ femme. Les parents de M. Lejard sont
5

_____**beaux**_____ aussi. Les cousines de Benoît sont très
6

_____**belles**_____ aussi. C'est bien simple, dans la famille, ils sont tous
7

_____**beaux**_____!
8

15 **Tout est très vieux!** Complete with the appropriate forms of **vieux**.

C'est un _____**vieil**_____ immeuble, dans un _____**vieux**_____
1   2

quartier, dans une _____**vieille**_____ rue. Il a un _____**vieil**_____
3   4

escalier. Autour, il y a des _____**vieux**_____ arbres.
5

16 **Tout nouveau pour l'école!** Complete with the appropriate forms of **nouveau**.

Jérôme a un _____**nouveau**_____ cahier, une _____**nouvelle**_____ règle,
1   2

des _____**nouveaux**_____ crayons, et des _____**nouvelles**_____ cassettes.
3   4

Et il a même... une _____**nouvelle**_____ école!
5

Un peu plus

 A **Les Antillais** Read the following. Guess the words you don't know.

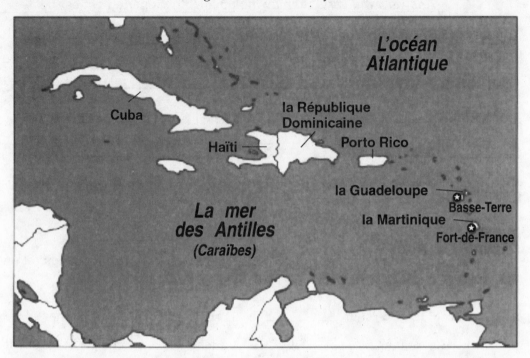

La Martinique est une île des Antilles dans la mer des Caraïbes. Les habitants de la Martinique sont les Martiniquais. Les Martiniquais parlent français parce que la Martinique est un département français d'outre-mer (un D.O.M.). À la Martinique, il y a beaucoup d'influence française, et aussi beaucoup d'influence africaine.

Il y a des Martiniquais qui habitent en France. Il y a aussi des Guadeloupéens, de la Guadeloupe, une autre île des Antilles. La Guadeloupe est aussi un département français d'outre-mer.

En Haïti, pays voisin de la Martinique et de la Guadeloupe, on parle français. C'est pourquoi il y a de nombreuses personnes d'origine haïtienne en France.

On appelle les Martiniquais, les Guadeloupéens et les Haïtiens des Antillais.

Nom _____ Date _____

B **Les Maghrébins** Read the following. Take an educated guess at words you don't know.

En France, une partie de la population est d'origine immigrée. Une grande partie de ces gens sont des Maghrébins, des gens qui viennent du Maghreb. Le Maghreb, c'est le nom arabe de la région dans le nord-ouest de l'Afrique, située entre la mer Méditerranée et le désert du Sahara. Le Maghreb, c'est l'Algérie, la Tunisie et le Maroc.

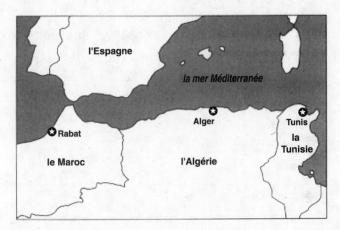

C **Trouvez le mot.** Find a word in the readings related to each of the following.

1. la Martinique __les Martiniquais__

2. l'Afrique __africaine__

3. habiter __les habitants__

4. les Antilles __les Antillais__

5. la Guadeloupe __les Guadeloupéens__

6. Haïti __les Haïtiens__

D **Des mots apparentés** Find seven cognates in the readings.

1. __département__

2. __influence__

3. __africaine__

4. __origine__

5. __personnes__

6. __arabe__

7. __désert__

E **Répondez.** Answer the following questions.

1. Qu'est-ce que la Martinique?

   C'est une île des Antilles.

2. Où sont la Martinique et la Guadeloupe?

   Dans la mer des Caraïbes.

3. Où est le Maghreb?

   Dans le nord-ouest de l'Afrique, entre la mer Méditerranée et le

   désert du Sahara.

4. Quels sont les trois pays du Maghreb?

   Le Maroc, l'Algérie et la Tunisie.

Mon autobiographie

Continue writing your life story. Tell as much about your family as you can. If you have a pet, be sure to mention him or her. Give the names and ages of each member of your family and describe each of them. Also tell where each person lives.

Then write about where you live and describe your house or apartment. Be sure to include your address and to describe each room.

Mon autobiographie

Self-Test

1

1 Complete each sentence with an appropriate word.

1. Joëlle n'est pas américaine. Elle est _____française_____.

2. Bernard n'est pas blond. Il est _____brun_____.

3. La fille n'est pas petite. Elle est assez _____grande_____.

4. Une école secondaire française est _____un collège / un lycée_____.

5. Carole est la sœur de Philippe et Philippe est _____le frère_____ de Carole.

6. Philippe et Vincent sont amis. Ils sont _____copains_____.

2 Complete according to the illustrations.

 1. Serge _____regarde_____ la télé.

 2. Valentine _____écoute_____ des cassettes.

 3. Les élèves _____passent_____ un examen.

 4. Mon frère _____parle_____ au téléphone.

 5. Ils _____rigolent / parlent_____ avec les copains.

Workbook, Teacher Edition
Copyright © Glencoe/McGraw-Hill

Bon voyage! Level 1, Self-Test 1 ✤ **39**

Nom _____ Date _____

3 Complete with an appropriate word.

1. Mes parents sont ma _____ **mère** _____ et mon

_____ **père** _____ .

2. Les parents de mes parents sont mes _____ **grands-parents** _____ .

3. La sœur de mon père est ma _____ **tante** _____ .

4. Le frère de ma mère est mon _____ **oncle** _____ .

5. Les enfants de mon oncle et ma tante sont mes _____ **cousins** _____ et mes

_____ **cousines** _____ .

4 Identify each room of the apartment.

1. _____ **la chambre à coucher** _____

2. _____ **la salle de bains et les toilettes** _____

3. _____ **la cuisine** _____

4. _____ **la salle à manger** _____

5. _____ **la salle de séjour** _____

5 Complete the two sentences about each person or pair. Use the correct form of **américain** in the first sentence and the correct form of **sympathique** in the second sentence.

1. Marie est _____ **américaine** _____ .

Marie est _____ **sympathique** _____ .

2. Pierre est _____ **américain** _____ .

Pierre est _____ **sympathique** _____ .

3. Marie et Anne sont _____ **américaines** _____ .

Marie et Anne sont _____ **sympathiques** _____ .

4. Pierre et Paul sont _____ **américains** _____ .

Pierre et Paul sont _____ **sympathiques** _____ .

6 Complete with **le, la, l'**, or **les.**

1. _____Le_____ garçon est blond.

2. Et _____la_____ fille est brune.

3. Loïc est _____le_____ frère de Magali.

4. Magali est _____l'_____ amie de Vincent.

5. _____Les_____ deux amis sont très intelligents et sympathiques.

7 Complete with **un, une**, or **des.**

1–5. J'achète _____des_____ fournitures scolaires, _____un_____ cahier,
             1   2

_____une_____ gomme, _____une_____ calculatrice et _____des_____
    3   4   5

magazines... Oh pardon! Ce n'est pas une fourniture scolaire!

8 Complete each sentence with the correct form of **être.**

1. Je _____suis_____ une amie de Camille.

2. Elle _____est_____ très sympa.

3. Nous _____sommes_____ élèves dans le même lycée.

4. Tu _____es_____ français(e) ou américain(e)?

5. Vous _____êtes_____ de New York?

6. Tes copains _____sont_____ sympathiques?

9 Complete each sentence with the correct form of **avoir.**

1. J' _____ai_____ deux frères.

2. Ils _____ont_____ treize et seize ans.

3. Mon copain Michel _____a_____ deux sœurs.

4. Elles _____ont_____ treize et seize ans aussi. Alors....

5. Et toi, tu _____as_____ des frères et sœurs?

6. Vous _____avez_____ un animal?

7. Nous, nous _____avons_____ un iguane.

Workbook, Teacher Edition
Copyright © Glencoe/McGraw-Hill

Bon voyage! Level 1, Self-Test 1 ❦ **41**

10 Complete each sentence with the correct form of the indicated verb.

1. Charles _____ arrive _____ à l'école. (arriver)

2. Les élèves _____ jouent _____ dans la cour. (jouer)

3. Le professeur _____ parle _____ à un autre professeur. (parler)

4. On _____ arrive _____. (arriver)

5. Vous _____ aimez _____ vos cours? (aimer)

6. Nous, nous _____ invitons _____ tout le monde! (inviter)

11 Choose the correct answer.

1. Où est la Martinique?

    a. Dans la mer Méditerranée.
    ⓑ Dans la mer des Antilles.
    c. Dans l'océan Atlantique.

2. Qu'est-ce qu'un collège en France?

    a. Une école primaire.
    b. Une université.
    ⓒ Une école secondaire.

3. Les lycéens quittent le lycée à quelle heure?

    a. À deux heures.
    b. À trois heures.
    ⓒ À cinq heures.

4. Où sont les H.L.M.?

    a. Au centre-ville.
    ⓑ À l'extérieur des villes.
    c. En Afrique.

Answers appear on pages 153–154.

CHAPITRE 5

Nom _____ Date _____

Au café et au restaurant

Vocabulaire Mots 1

1 Oui ou non? Indicate whether the statement makes sense or not.

	oui	non
1. Un serveur travaille dans un café ou un restaurant.	✔	
2. Les clients trouvent une table occupée.		✔
3. Le serveur demande la carte.		✔
4. Le serveur donne la carte aux clients.	✔	
5. Le client dit, «Vous désirez?»		✔
6. Paul a soif. Il commande une crêpe.		✔
7. Farida a faim. Elle commande une limonade.		✔
8. Je voudrais quelque chose à manger. Je voudrais un citron pressé.		✔

2 Corrections Correct the statements from Activity 1 that do not make sense.

1. _____

2. __**Les clients trouvent une table libre.**_____

3. __**Les clients demandent la carte.**_____

4. _____

5. __**Le serveur dit, «Vous désirez?»**_____

6. __**Paul a soif. Il commande un coca/une limonade, etc.**__

   __**Paul a faim. Il commande une crêpe.**_____

7. __**Farida a faim. Elle commande un sandwich au jambon, etc.**__

   __**Farida a soif. Elle commande une limonade.**_____

8. __**Je voudrais quelque chose à manger. Je voudrais une crêpe, etc.**__

   __**Je voudrais quelque chose à boire. Je voudrais un citron pressé, etc.**__

3 **Au café** Write as many sentences about the illustration as you can.

Answers will vary.

_____

_____

_____

_____

_____

_____

_____

_____

_____

_____

_____

Vocabulaire `Mots 2`

4 **Le couvert** Write the names of the utensils and dishes you would need if you
ordered the following things in a café.

1. une omelette

une assiette, une fourchette, une serviette

2. un café au lait

une tasse, une cuillère, une serviette

3. un steak frites

une assiette, un couteau, une fourchette, une serviette

4. un citron pressé

un verre, une cuillère, une serviette

5. une crêpe au chocolat

une assiette, une fourchette et ... quatre serviettes

5 **Au restaurant** Complete with an appropriate word.

1. La _____ **nappe** _____ couvre la table.

2. La _____ **tasse** _____, c'est pour le café, et le _____ **verre** _____,
c'est pour le coca.

3. Il n'est pas _____ **seul** _____. Il est avec des copains.

4. Le contraire d'un steak saignant est un steak _____ **bien** _____ cuit.

5. Au restaurant, chacun _____ **paie** _____ pour soi.

Name _____ Date _____

6 **Vrai ou faux?** Indicate whether each statement is true or false.

	vrai	faux
1. Dans les restaurants en France, le service est compris.	✔	
2. Le serveur donne un pourboire au client.		✔
3. Le client laisse un pourboire pour le serveur.	✔	
4. On déjeune le soir.		✔
5. La serviette couvre la table.		✔

7 **Corrections** Correct the false statements from Activity 6.

1. _____

2. **Le client donne un pourboire au serveur.** _____

3. _____

4. **On déjeune à midi.** _____

5. **La nappe couvre la table.** _____

Structure Le verbe **aller** au présent

8 **Ils vont où?** Write sentences using the verb **aller** and the cues below.

1. Sophie/au café ___**Sophie va au café.**___

2. Serge/à la fête ___**Serge va à la fête.**___

3. Ils/au théâtre ___**Ils vont au théâtre.**___

4. Mes parents/au restaurant ___**Mes parents vont au restaurant.**___

_____

5. Les élèves/au cours de français ___**Les élèves vont au cours de français.**___

_____

6. Marc/à l'école ___**Marc va à l'école.**___

9 **Après les cours** Complete the following conversation with the correct form of **aller**.

Jacques: Vous ____**allez**____ à la fête de Valérie ce soir?
                      1

Marie: Oui, on y ____**va**____. Et toi, tu n'y
                      2

____**vas**____ pas?
        3

Jacques: Bien sûr que j'y ____**vais**____. Tout le monde à
                              4

l'école y ____**va**____! Mais c'est vendredi. Vous
              5

n' ____**allez**____ pas au cinéma?
        6

Marie: C'est vrai, on ____**va**____ souvent au cinéma le
                          7

vendredi. Mais ce soir, nous ____**allons**____ à la fête!
                                  8

10 **Ça va?** Fill in with a form of **aller**.

M. Bonenfant: Bonjour, madame. Comment ____**allez**____-vous?
                                              1

Mme Éluard: Bonjour, monsieur. Je ____**vais**____ très bien, merci.
                                        2

M. Bonenfant: Et toi, mon petit Michel. Comment ça ____**va**____?
                                                          3

Michel Éluard: Bien, merci, monsieur.

11 **Toi** Give personal answers.

1. Tu vas à l'école le dimanche?

   Answers will vary.

2. Tu vas souvent à des fêtes avec des amis? Quand?

   _____

3. Tu vas quelquefois au restaurant avec ta famille? Quand?

   _____

4. Tu vas souvent au restaurant avec des copains?

   _____

5. Tu vas au centre-ville à pied, en voiture ou en métro?

   _____

Aller + infinitif

12 **Qu'est-ce que tu vas faire?** Write sentences according to the model.

Tu ne manges pas?
Pas maintenant. Je vais manger (à sept heures).

1. Tu ne déjeunes pas?

   Pas maintenant. Mais je vais déjeuner... *(Answers will vary.)*

2. Il n'étudie pas?

   Pas maintenant. Mais il va étudier...

3. Vous n'allez pas au café?

   Pas maintenant. Mais nous allons aller au café...

4. Elles ne passent pas d'examen?

   Pas maintenant. Mais elles vont passer un examen...

5. Tu ne commandes pas?

   Pas maintenant. Mais je vais commander...

Nom _____ Date _____

13 **Qu'est-ce que tu vas faire?** Write three things you are going to do in the near future.

1. *Answers will vary.* _____

2. _____

3. _____

Now write three things you are not going to do.

4. *Answers will vary.* _____

5. _____

6. _____

Les contractions avec **à** et **de**

14 **On va où?** Complete each sentence.

1. En France, un garçon de treize ans va _____au_____ collège.

2. Et une fille qui a seize ans va _____au_____ lycée.

3. Aux États-Unis, un garçon qui a sept ans va _____à l'_____ école primaire.

4. Une fille qui a seize ans va _____à l'_____ école secondaire.

5. Les élèves parlent _____aux_____ professeurs et les professeurs

   parlent _____aux_____ élèves.

6. Après les cours, les élèves français vont _____au_____ café.

7. Au café, ils parlent _____aux_____ copains.

8. Le service est compris, mais ils laissent un pourboire _____au_____

   serveur ou _____à la_____ serveuse!

15 **Au déjeuner** Complete the names of these dishes you have for lunch.

1. une soupe _____à l'_____ oignon

2. un sandwich _____au_____ jambon

3. un sandwich _____au_____ fromage

4. une omelette _____aux_____ fines herbes

5. une glace _____à la_____ vanille

6. une glace _____au_____ chocolat

   ...Et une indigestion!!!

16 **On va où?** Write sentences according to the model.

> l'école/le restaurant
> **Je rentre de l'école et je vais au restaurant.**

1. le lycée/le magasin

   **Je rentre du lycée et je vais au magasin.**

2. l'école/le café

   **Je rentre de l'école et je vais au café.**

3. le collège/la papeterie

   **Je rentre du collège et je vais à la papeterie.**

4. le magasin/la fête de Dominique

   **Je rentre du magasin et je vais à la fête de Dominique.**

5. le café/la maison

   **Je rentre du café et je vais à la maison.**

Le verbe **prendre**

17 **Prendre ou ne pas prendre** Complete with the correct forms of the verb **prendre**.

Ludovic: Qu'est-ce que tu _____**prends**_____ ?
                                          1

Aurélien: Oh, je _____**prends**_____ une crêpe. Et toi?
                                  2

Ludovic: Moi, je _____**prends**_____ un grand coca. J'ai une soif!
                                   3

Aurélien: On _____**prend**_____ deux crêpes?
                             4

Ludovic: Non, je n'ai pas faim.

             (Un peu plus tard)

Serveur: Bonjour, messieurs. Qu'est-ce que vous _____**prenez**_____?
                                                                      5

Ludovic: Alors, nous _____**prenons**_____.... une crêpe pour mon ami.
                                        6

             Et moi, je _____**prends**_____ un sandwich au jambon, une
                                     7

             crêpe et un grand coca.

Serveur: Vous ne _____**prenez**_____ pas de boisson, monsieur?
                                   8

Aurélien: Non, merci... Dis donc, Ludovic! T'as pas faim, c'est ça?

Un peu plus

 A **Majuscules ou minuscules?** Read the following.

- Il y a des lettres minuscules: **a, f,** et des lettres majuscules: **A, F.**

- En anglais, un nom de nationalité et un adjectif de nationalité commencent par une lettre majuscule. En français, le nom de nationalité commence par une majuscule mais l'adjectif commence par une minuscule. Par exemple:

En anglais	**En français**
The Americans and the French have dinner at different times.	Les Américains et les Français dînent à des heures différentes.
Fred is an American student.	Fred est un élève américain.
Amélie is a French student.	Amélie est une élève française.

- Les noms de langue commencent toujours par une lettre majuscule en anglais, mais par une minuscule en français.

Americans speak English.	Les Américains parlent anglais.
The French speak French.	Les Français parlent français.

B **Trouvez les fautes.** Be a copy editor. Correct the errors in the following sentences.

1. Les français dînent entre sept et neuf heures.

   Les Français... _____

2. Les français parlent français.

   Les Français... _____

3. Il y a beaucoup de restaurants Français à New York.

   ...restaurants français... _____

4. Les américains aiment manger dans les restaurants français.

   Les Américains... _____

Qu'est-ce que vous préférez? A French magazine recently surveyed people about their favorite foods.

1. Read the question in the chart and study the results. You may need the following words: le gigot *lamb,* le canard *duck,* le pot-au-feu *beef stew,* la choucroute *sauerkraut,* les pâtes *pasta.*

CONSENSUS AUTOUR DU GIGOT

Question: **D'une manière générale, pouvez-vous m'indiquer, parmi ces différents plats, les deux ou trois que vous préférez?**			RANG.
	– Le gigot	**46**	1
	– La sole meunière	40	2
	– Le steak frites	33	3
	– Les salades mélangées	32	4
	– Le canard à l'orange	26	5
	– Le pot-au-feu	25	6
	– La choucroute	23	7
	– Les pâtes fraîches	21	8

2. Now answer the question and fill in the results for your class on the chart below.

Answers will vary.

_____

_____

_____

_____

CONSENSUS AUTOUR DU GIGOT

Question: **D'une manière générale, pouvez-vous m'indiquer, parmi ces différents plats, les deux ou trois que vous préférez?**			RANG.
	– Le gigot		
	– La sole meunière		
	– Le steak frites		
	– Les salades mélangées		
	– Le canard à l'orange		
	– Le pot-au-feu		
	– La choucroute		
	– Les pâtes fraîches		

L'âge You can now guess any person's age with the following charts. Just follow the directions.

Avec les sept tableaux suivants, il est possible de deviner l'âge d'une personne. Comment? C'est très simple: Demandez à la personne d'indiquer le numéro du ou des tableaux où apparaît son âge.

Ensuite, additionnez les nombres placés en haut et à gauche.

Par exemple, si la personne a 18 ans, elle va indiquer les tableaux #1 et 7. Vous additionnez 2 + 16 et vous avez 18!

2	38	74
3	39	75
6	42	78
7	43	79
10	46	82
11	47	83
14	50	86
15	51	87
18	54	90
19	55	91
22	58	94
23	59	95
26	62	98
27	63	99
30	66	102
31	67	103
34	70	106
35	71	107

1

1	37	73
3	39	75
5	41	77
7	43	79
9	45	81
11	47	83
13	49	85
15	51	87
17	53	89
19	55	91
21	57	93
23	59	95
25	61	97
27	63	99
29	65	101
31	67	103
33	69	105
35	71	107

2

64	82	100
65	83	101
66	84	102
67	85	103
68	86	104
69	87	105
70	88	106
71	89	107
72	90	
73	91	
74	92	
75	93	
76	94	
77	95	
78	96	
79	97	
80	98	
81	99	

3

4	38	76
5	39	77
6	44	78
7	45	79
12	46	84
13	47	85
14	52	86
15	53	87
20	54	92
21	55	93
22	60	94
23	61	95
28	62	100
29	63	101
30	68	102
31	69	103
36	70	
37	71	

4

8	42	76
9	43	77
10	44	78
11	45	79
12	46	88
13	47	89
14	56	90
15	57	91
24	58	92
25	59	93
26	60	94
27	61	95
28	62	104
29	63	105
30	72	106
31	73	107
40	74	
41	75	

5

32	49	98
33	50	99
34	51	100
35	52	101
36	53	102
37	54	103
38	55	104
39	56	105
40	57	106
41	58	107
42	59	
43	60	
44	61	
45	62	
46	63	
47	96	
48	97	

6

16	49	82
17	50	83
18	51	84
19	52	85
20	53	86
21	54	87
22	55	88
23	56	89
24	57	90
25	58	91
26	59	92
27	60	93
28	61	94
29	62	95
30	63	
31	80	
48	81	

7

Mon autobiographie

Tell whether or not you like to eat in a restaurant. If you do, tell which restaurant(s) you go to. Give a description of a dinner out.

You know quite a few words for foods in French. In your autobiography, write about which foods you like and don't like. Keep your list and compare your likes and dislikes at the end of this year. You may find that your tastes have changed!

Mon autobiographie

CHAPITRE 6

Nom _____ Date _____

La nourriture et les courses

Vocabulaire   Mots 1

1 **Qu'est-ce que c'est?** Identify each item of food.

1. _____deux crevettes_____

2. _____un pain_____

3. _____un croissant_____

4. _____une tarte aux pommes_____

5. _____un œuf_____

6. _____un poulet_____

2 **À la boulangerie** Write as many sentences as you can about the illustration.

M. Cabet

Mme Lupin

Answers will vary. _____

_____

_____

_____

Nom _____ Date _____

3 **Il va où?** Here is Monsieur Poirot's list. Write which stores he is going to.

1. œufs et yaurte
2. saucisson
3. bœuf et poulet
4. crevettes
5. croissants et
   une tarte

1. Il va à _____la crémerie_____ .

2. Il va à _____la charcuterie_____ .

3. Il va à _____la boucherie_____ .

4. Il va à _____la poissonnerie_____ .

5. Il va à _____la boulangerie-pâtisserie_____ .

Vocabulaire   Mots 2

4 **Combien?** Write the appropriate quantities, based on the illustrations.

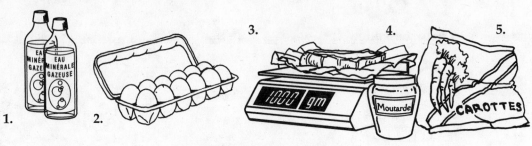

3.   4.   5.

1.   2.

6.   7.

1. deux _____**bouteilles**_____ d'eau minérale

2. une _____**douzaine**_____ d'œufs

3. un _____**kilo**_____ de bœuf

4. un _____**pot**_____ de moutarde

5. un _____**paquet**_____ de carottes surgelées

6. une _____**livre**_____ de beurre

7. une _____**boîte**_____ de conserve

5 **À l'épicerie** Complete the following cartoon.

6 **Catégories** Identify each item as **de la viande, du poisson, des légumes,** or **des fruits.**

1. des oignons ___des légumes___

2. des bananes ___des fruits___

3. du porc ___de la viande___

4. du saucisson ___de la viande___

5. des haricots verts ___des légumes___

6. des asperges ___des légumes___

Structure Le verbe **faire** au présent

7 **Qu'est-ce que tu fais?** Complete with the correct form of the verb **faire**.

—Qu'est-ce que tu _____**fais**_____, là?

1

—Je vais chercher Sophie. On va _____**faire**_____ les courses.

2

—Vous _____**faites**_____ souvent les courses?

3

—Mon cher ami, nous _____**faisons**_____ les courses tous les samedis.

4

—C'est bien ça. Tu aimes _____**faire**_____ les courses, alors.

5

—Moi? Pas du tout. Mais je _____**fais**_____ les courses parce que j'aime manger.

6

8 **À l'école** Give personal answers. Use complete sentences.

1. Qu'est-ce que tu fais comme langues? Du français? De l'espagnol?

   Answers will vary. _____

2. Et tes copains, qu'est-ce qu'ils font comme langue(s)?

   _____

3. Qu'est-ce que vous faites en maths? De l'algèbre? De la géométrie? De la trigonométrie?

   _____

Le partitif et l'article défini

9 **Quel article?** Complete with the correct articles.

	J'aime...	J'achète...
fromage	le fromage	du fromage
agneau	l'agneau	de l'agneau
crevettes	les crevettes	des crevettes
lait	le lait	du lait
limonade	la limonade	de la limonade
légumes	les légumes	des légumes

10 **Qu'est-ce que tu aimes?** Complete each sentence with the appropriate word.

1. —Tu aimes _____les_____ légumes?

   —J'adore _____les_____ légumes!

   —Tu achètes quoi comme légumes?

   —Oh, j'achète _____des_____ carottes, _____des_____ épinards,

   _____des_____ haricots verts.

   —Moi, je mange _____des_____ légumes à tous _____les_____ repas.

   —Moi aussi.

2. —Tu aimes _____le_____ jambon?

   —Oui. Pourquoi?

   —Je vais faire _____des_____ sandwichs. J'ai aussi _____du_____ saucisson.

   —Pas pour moi. Je déteste _____le_____ saucisson.

   —C'est vrai? Tu n'aimes pas _____le_____ saucisson! Moi, j'adore

   _____le_____ saucisson. Avec du pain et _____du_____ beurre, miam, miam!!

Le partitif au négatif

11 **On fait la cuisine.** Complete the following with an appropriate word.

1. On a _____des_____ œufs, mais on n'a pas _____de_____ lait.

2. On a _____des_____ tomates, mais on n'a pas _____d'_____ oignons.

3. On a _____du_____ sel, mais on n'a pas _____de_____ poivre.

4. On a _____de l'_____ huile, mais on n'a pas _____de_____ vinaigre.

5. Elle veut _____un_____ sandwich au jambon, mais on n'a pas _____de_____ pain.

6. Tu veux manger _____du_____ poulet, mais on n'a pas _____de_____ poulet!

12 **Non merci!** Complete each sentence with the appropriate word.

	Je n'aime pas...	Je n'achète pas...
fromage	le fromage	de fromage
agneau	l'agneau	d'agneau
crevettes	les crevettes	de crevettes
lait	le lait	de lait
limonade	la limonade	de limonade
légumes	les légumes	de légumes

13 **Ma famille** Give personal answers. Use complete sentences.

1. Tu as des frères? Combien?

_*Answers will vary.*_____

2. Tu as des sœurs? Combien?

_____

3. Tu as des cousins? Combien?

_____

4. Tu as des cousines? Combien?

_____

5. Tu as des oncles? Combien?

_____

6. Tu as des tantes? Combien?

_____

7. Tu as un chien ou un chat?

_____

Les verbes **pouvoir** et **vouloir**

14 **Vouloir, c'est pouvoir.** Complete with the indicated verb.

—Tu _____**peux**_____ faire le dîner? (pouvoir)
                1

—Ah, je regrette, mais je ne _____**peux**_____ pas. À la télé, il y a... (pouvoir)
                                    2

—Si je comprends bien, tu ne _____**peux**_____ pas faire le dîner, parce
                                        3

   que tu _____**veux**_____ regarder la télé. (pouvoir, vouloir)
              4

—Euh...oui.

—Eh bien, moi, je ne _____**peux**_____ pas faire le dîner, parce que
                          5

   Corinne et moi, on _____**veut**_____ aller acheter des cassettes.
                          6
   (pouvoir, vouloir)

—Vous _____**voulez**_____ acheter des cassettes? (vouloir)
           7

—Oui, monsieur. Alors tu _____**peux**_____ manger ce qu'il y a dans le
                              8
   frigo. (pouvoir)

15 **Au pluriel** Rewrite each sentence in the plural.

1. Je peux faire les courses.

   Nous pouvons faire les courses.

2. Il veut inviter des amis.

   Ils veulent inviter des amis.

3. Tu veux aller au cinéma?

   Vous voulez aller au cinéma?

Les adjectifs avec une double consonnne

16 **Au restaurant** Rewrite each sentence using the word in parentheses.

1. C'est un bon sandwich. (une salade)

   C'est une bonne salade.

2. C'est un restaurant canadien. (une spécialité)

   C'est une spécialité canadienne.

3. Quel repas? (cuisine)

   Quelle cuisine?

4. Le serveur est très gentil. (La serveuse)

   La serveuse est très gentille.

Un peu plus

 À la ou chez le Read the following.

When speaking English, you can say either *at the baker's* or *at the bakery*. The same option exists in French. Note that one expression puts the emphasis on the merchant and the other on the store. In French, you can say: **chez le boulanger** or **à la boulangerie.**

Le magasin	**Le marchand**
Je vais à la boulangerie.	Je vais chez le boulanger.
Je vais à la pâtisserie.	Je vais chez le pâtissier.
Je vais à la boucherie.	Je vais chez le boucher.
Je vais à la charcuterie.	Je vais chez le charcutier.
Je vais à l'épicerie.	Je vais chez l'épicier.
Je vais à la crémerie.	Je vais chez le crémier.

 Où vas-tu? Rewrite each sentence that tells where you are going, using the preposition in parentheses.

1. Je vais à la boulangerie. (chez)

   Je vais chez le boulanger.

2. Je vais chez le boucher. (à)

   Je vais à la boucherie.

3. Je vais à la charcuterie. (chez)

   Je vais chez le charcutier.

4. Je vais chez le pâtissier. (à)

   Je vais à la pâtisserie.

5. Je vais à l'épicerie. (chez)

   Je vais chez l'épicier.

6. Je vais chez le crémier. (à)

   Je vais à la crémerie.

Combien de personnes? Now look at the menu and then answer the following questions in English.

1. Is it a menu for a restaurant or for a catering service?

   For a catering service.

2. What's the name of the place and where is it located?

   The name is "Flunch" and it is located in Évry.

3. What do you think "Papillon de l'Océan" is?

   A fish assortment in the shape of a butterfly.

4. What do you think a "framboisier" is?

   A dessert.

5. How much in advance do you have to call?

   Five days in advance.

Mon autobiographie

Continue the list of foods you like and dislike that you started in **Chapitre 5.** Add the names of foods you learned in this chapter.

Then tell whether or not you like to shop for food. What foods do you buy? Tell where you shop and when. If you never do, tell who does the grocery shopping in the family and tell what you know about his or her shopping habits.

Mon autobiographie

CHAPITRE 7

Nom _____ Date _____

Les vêtements

Vocabulaire   Mots 1

1 Les vêtements Identify each item of clothing.

1. _____ une cravate _____ 2. _____ un pull _____ 3. _____ un chemisier _____

4. _____ un tailleur _____ 5. _____ des chaussettes _____ 6. _____ un complet _____

7. _____ une jupe plissée _____ 8. _____ un pantalon _____

2 **Dans une boutique** Give answers based on the illustration.

SOLDES

1. Qu'est-ce qu'il y a dans la boutique?

   des vêtements pour hommes

2. Qu'est-ce que le client regarde?

   un pantalon

3. Quel est le prix du pantalon?

   120 euros

4. Le pantalon est cher ou pas cher?

   Il est cher.

5. D'après vous, le client va acheter le pantalon?

   Non, il ne va pas acheter le pantalon.

3 **Homme ou femme?** Indicate whether each item of clothing is for a man, for a woman, or for either.

	Homme	Femme	Les deux
1. un blouson			✔
2. un chemisier		✔	
3. un pantalon			✔
4. une jupe plissée		✔	
5. une robe		✔	
6. une chemise blanche	✔		
7. un tailleur		✔	

Vocabulaire   Mots 2

4   **Ça va ou ça ne va pas?**   Give answers based on the illustration.

1. Le pantalon est trop large ou trop serré?

    Il est trop large.

2. Et les chaussures, elles sont trop grandes ou trop petites?

    Elles sont trop petites.

3. Le chemisier est à manches longues ou à manches courtes?

    Il est à manches longues.

4. D'après vous, la fille va acheter les chaussures? Et le pantalon? Et le chemisier?

    Elle ne va pas acheter les chaussures. Elle ne va pas acheter le

    pantalon. Elle va acheter le chemisier.

5   **Le contraire**   Match each word in the left-hand column with its opposite in the right-hand column.

1. ___c___ large   **a.** au-dessous
2. ___f___ long   **b.** noir
3. ___e___ sport   **c.** serré
4. ___a___ au-dessus   **d.** plus cher
5. ___b___ blanc   **e.** habillé
6. ___d___ moins cher   **f.** court

6 **Mes vêtements favoris** Describe your favorite outfit, including each item of clothing and its color.

Answers will vary.

_____

_____

_____

_____

_____

7 **Ma couleur favorite** Give your favorite color for the following items. Note that when a color is used as a noun, it is masculine: **le bleu, le rouge,** etc.

Ma couleur favorite pour _____ est le _____.

1. un blouson

Answers will vary.

_____

2. un pantalon

_____

3. des chaussures

_____

4. un pull

_____

5. un anorak

_____

6. un manteau

_____

7. un survêtement

_____

8. une casquette

_____

Structure Le verbe mettre

8 Qu'est-ce que tu mets? Answer using a form of **mettre**.

1. Qu'est-ce que tu mets pour aller à l'école?

   Answers will vary. _____

2. Qu'est-ce que vous mettez tous pour faire de la gymnastique?

   _____

3. Qu'est-ce que tes parents mettent pour aller au travail?

   _____

   _____

4. Qu'est-ce que tes copains et copines mettent pour aller à une fête?

   _____

   _____

5. Là où tu habites, qu'est-ce qu'on met au mois de juillet?

   _____

6. Et qu'est-ce qu'on met au mois de janvier?

   _____

Des adjectifs

9 Deux formes différentes Rewrite each sentence using the indicated words.

1. Ma *jupe* est trop longue. (pantalon)

   Mon pantalon est trop long. _____

2. C'est mon *pull* favori. (robe)

   C'est ma robe favorite. _____

3. Où sont mes *shorts* blancs? (chaussettes)

   Où sont mes chaussettes blanches? _____

4. Mon *frère* est très sérieux. (sœur)

   Ma sœur est très sérieuse. _____

5. Le *blouson* est moins cher. (chemise)

   La chemise est moins chère. _____

Le comparatif des adjectifs

 Comparaisons Write a sentence comparing the people in each drawing. Use the adjective in parentheses.

Fred   **Jeanne**

1. (grand)

    Fred est aussi grand que Jeanne. / Jeanne est aussi grande que Fred.

Sophie   **Marine**

2. (élégant)

    Marine est moins élégante que Sophie. / Sophie est plus élégante que

    Marine.

Jeanne   **Marie**

3. (timide)

    Marie est plus timide que Jeanne. Jeanne est moins timide que Marie.

11 **Plus que qui?** Rewrite the sentences, replacing the italicized word(s) with one pronoun.

1. Il est plus intelligent que *son frère*.

   Il est plus intelligent que lui.

2. Je suis moins timide que *ma sœur*.

   Je suis moins timide qu'elle.

3. Il est plus grand que *ses parents*.

   Il est plus grand qu'eux.

4. Il est plus sympathique que *ses cousines*.

   Il est plus sympathique qu'elles.

5. Elle est plus forte en maths que *toi et moi*.

   Elle est plus forte en maths que nous.

6. Elles sont plus patientes que *toi et ton frère*.

   Elles sont plus patientes que vous.

Les verbes **voir** et **croire**

12 **Proverbe anglais** Write sentences using **voir** and **croire**. Follow the model.

On croit ce qu'on voit.

1. Nous **croyons ce que nous voyons.**

2. Il **croit ce qu'il voit.**

3. Tu **crois ce que tu vois.**

4. Vous **croyez ce que vous voyez.**

5. Je **crois ce que je vois.**

Le verbe **payer**

13 **Il faut payer.** Fill in the blanks with a form of the verb **payer**.

1. Qui _____**paie**_____?

2. Tu _____**paies**_____?

3. Ils ne _____**paient**_____ pas.

4. Nous _____**payons**_____ immédiatement.

5. Vous _____**payez**_____ à la caisse, monsieur!

Nom _____ Date _____

Un peu plus

A **Deux proverbes** Read the following French proverbs.

1. **L'habit ne fait pas le moine.** habit *vêtements* moine *monk*

   In English explain the meaning of this proverb and find its English equivalent.

   Answers will vary. **/ You can't judge a book by its cover.**

2. **Des goûts et des couleurs,** goûts *tastes*
   il ne faut pas discuter.

   Do the same for this proverb.

   Answers will vary. **There's no accounting for taste(s). To each his/her own.**

B **Quelles tailles?** One day, while in France, you may want to buy a present for some members of your family or friends. It would be nice to know what their various sizes are. Fill out the chart below, using the material on the next page.

NOM	Vêtements	Gants

Workbook, Teacher Edition
Copyright © Glencoe/McGraw-Hill

Hommes (Mensurations en centimètres)			Vêtements				
Poitrine	85/88	89/92	93/96	97/100	101/104	105/108	109/112	113/116
Ceinture	72	76/80		80/84	88	92	96	100
Hanches	89/91	92/95		96/100	101/103	104/106	107/109	110/112
Pantalon : taille	36	38/40		40/42	44	45	48	50
Veste : taille	44	46/48		48/50	52	54	56	58
ou	XS	S		M	L	XL	XXL	

Dames (Mensurations en centimètres)			Vêtements			
Poitrine	78/82	82/86	86/90	90/94	94/98	98/102	102/106
Ceinture	56/60	60/64	64/68	68/72	72/76	76/80	80/84
Hanches	84/88	88/92	92/96	96/100	100/104	104/108	108/112
Pantalon : taille	34	36	38	40	42	44	46
Veste : taille	34	36	38	40	42	44	46
ou	0	1	2	3	4	5	
ou	XXS	XS	S	M	L	XL	

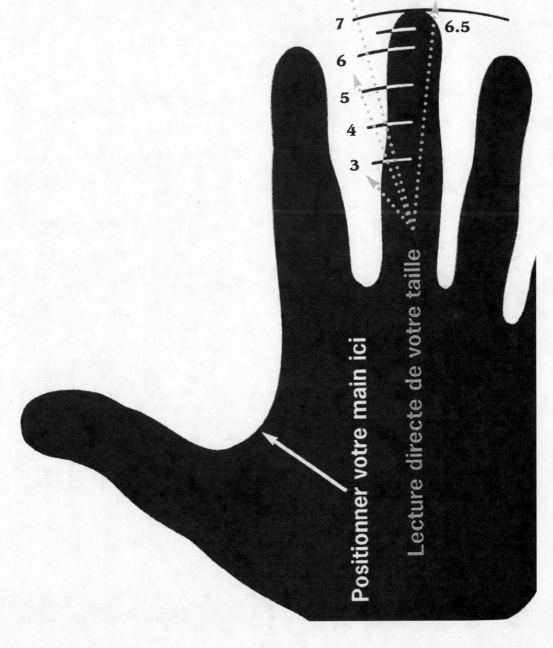

Mon autobiographie

Some people love to shop for clothes and others don't. Write about yourself. If you like to shop for clothes, tell about your shopping habits. What kind of stores do you go to, etc.? If you don't like shopping, tell why not.

Tell what kinds of clothes you like and you don't like. For example, if you're a boy you may not like to wear a tie, and if you're a girl, you may not like dresses. You may want to include your present sizes for certain articles of clothing. Describe your favorite outfit.

Tell something about your family, too. Tell when some family members have a birthday and what kind of clothing you might buy them as a birthday present.

Mon autobiographie

2

Nom _____ Date _____

1 Make a list of four things to drink.

    1. ___*Answers will vary.*___

    2. _____

    3. _____

    4. _____

2 Make a list of four things you like to eat.

    1. ___*Answers will vary.*___

    2. _____

    3. _____

    4. _____

3 Complete each sentence with an appropriate word.

    1. Après les cours, les copains ont _____**faim**_____ ou soif.

    2. Ils vont au _____**café**_____.

    3. Ils regardent la _____**carte**_____ et ils commandent quelque chose.

    4. Un _____**serveur**_____ travaille dans un café ou dans un restaurant.

    5. Ils veulent payer. Ils demandent l'_____**addition**_____.

4 Identify the item in each illustration.

1. ___**un blouson**___

2. ___**des chaussures**___

3. ___**une jupe (plissée)**___

4. ___**une chemise**___

5. ___**un pantalon**___

6. ___**une casquette**___

7. ___**une robe**___

8. ___**un complet**___

9. ___**un tailleur**___

Workbook, Teacher Edition
Copyright © Glencoe/McGraw-Hill

Bon voyage! Level 1, Self-Test 2 ❖ **75**

5 Complete with the correct form of the verb in parentheses.

1. Je _____vais_____ au café. (aller)

2. Tous mes amis _____vont_____ au même café. (aller)

3. Je _____prends_____ un café. (prendre)

4. Et vous, qu'est-ce que vous _____prenez_____? (prendre)

5. Qu'est-ce que vous _____faites_____ maintenant? (faire)

6. Qu'est-ce que vous _____voulez_____ faire demain? (vouloir)

7. Je _____veux_____ aller au restaurant. (vouloir)

8. Tu _____peux_____ téléphoner pour réserver une table? (pouvoir)

9. Vous _____mettez_____ trop de beurre sur votre pain. (mettre)

10. Vous _____croyez_____ que ça va? (croire)

11. Tu _____crois_____ qu'on peut entrer? (croire)

12. Qu'est-ce que vous _____voyez_____? (voir)

6 Complete with **à** + a definite article.

1. Je suis _____au_____ café.

2. Elle va _____à la_____ boulangerie.

3. Il ne va pas _____à l'_____école.

4. Le professeur parle _____aux_____ élèves de sa classe.

7 Complete with **de** + a definite article.

1. Il rentre _____de l'_____école à 5 h.

2. C'est la maison _____de la_____ famille Castel.

3. Paul est le fils _____du_____ professeur de musique.

4. La Martinique est dans la mer _____des_____ Antilles.

8 Complete with the appropriate word.

1. Benoît va au marché. Il achète _____du_____ fromage.

2. Il aime _____le_____ fromage.

3. Benoît n'achète pas _____de_____ bananes.

4. Il n'aime pas _____les_____ bananes.

5. Mais il achète _____des_____ poires.

9 Write a sentence comparing the two people in each item. Use the information as a guide.

1. Camille est très sympathique. Arnaud est assez sympathique.

Camille est plus sympathique qu'Arnaud. / Arnaud est moins sympathique que Camille.

2. Valérie est intelligente. Caroline est intelligente aussi.

Valérie est aussi intelligente que Caroline. / Caroline est aussi intelligente que Valérie.

3. Joël est sérieux. Lucie n'est pas très sérieuse.

Joël est plus sérieux que Lucie. / Lucie est moins sérieuse que Joël.

4. Mes amis sont amusants. Tes amis sont amusants aussi.

Mes amis sont aussi amusants que tes amis. / Tes amis sont aussi amusants que mes amis.

10 Rewrite each sentence replacing the italicized word(s) with a pronoun.

1. Je suis plus sociable que _mes parents_.

Je suis plus sociable qu'eux.

2. Je suis moins jolie que _mes sœurs_.

Je suis moins jolie qu'elles.

3. Il est plus sympathique que _son frère_.

Il est plus sympathique que lui.

4. Elle est plus gentille que _sa cousine_.

Elle est plus gentille qu'elle.

Workbook, Teacher Edition
Copyright © Glencoe/McGraw-Hill

Bon voyage! Level 1, Self-Test 2 ❖ **77**

11 Complete each sentence with the correct form of the adjective in parentheses.

1. Ta prof de français est _____ **gentille** _____? (gentil)

2. J'ai des amies _____ **vietnamiennes** _____. (vietnamien)

3. Tu préfères _____ **quel** _____ pantalon? (quel)

4. Ils ne sont pas américains. Ils sont _____ **canadiens** _____. (canadien)

5. Elle n'est pas _____ **bonne** _____, ma soupe? (bon)

12 Choose the correct answer.

1. Tu vas faire les courses?
   a. Oui, je vais au café.
   b. Oui, je vais au marché.
   c. Oui, je vais au lycée.

2. Tu veux prendre quelque chose à boire?
   a. Oui, un coca.
   b. Oui, une omelette.
   c. Oui, un pull.

3. Tu as faim?
   a. Oui, je vais mettre quelque chose.
   b. Oui, je vais faire quelque chose.
   c. Oui, je vais prendre quelque chose.

4. Où est-ce que tu achètes tes vêtements?
   a. À la crémerie.
   b. Chez le marchand de légumes.
   c. Au centre commercial.

5. Tu aimes le jaune?
   a. Oui, bien cuit.
   b. Oui, quand il y a des soldes.
   c. Oui, c'est très joli avec du gris.

Answers appear on pages 154–155.

CHAPITRE 8

Nom _____ Date _____

L'aéroport et l'avion

Vocabulaire [Mots 1]

1 **À l'aéroport** Identify each illustration.

1. _____un passeport_____

2. _____un billet_____

3. _____une valise_____

4. _____un avion_____

5. _____un comptoir / un hall_____

6. _____le contrôle de sécurité_____

2 **Quel est le mot?** Write another word or expression for each phrase below.

1. un vol qui arrive de Paris _____un vol en provenance de Paris_____

2. un vol qui va à Paris _____un vol à destination de Paris_____

3. un vol qui commence et finit dans le même pays _____un vol intérieur_____

4. un vol qui commence dans un pays et finit dans un autre pays

_____un vol international_____

3 **Moi** Give personal answers.

1. Tu prends souvent l'avion?

_____*Answers will vary.*_____

2. Tu fais enregistrer tes bagages ou tu prends tout avec toi?

_____

3. Tu préfères une place côté couloir ou côté fenêtre?

_____

Vocabulaire Mots 2

4 **À bord** Identify each illustration.

1. _____ un siège _____

2. _____ une hôtesse de l'air _____

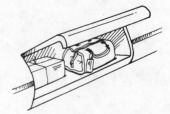

3. _____ un coffre à bagages _____

4. _____ une ceinture de sécurité _____

5. _____ un steward _____

6. _____ un plateau _____

5 **Vrai ou faux?** Indicate whether each of the following statements is true or false.

	vrai	faux
1. Avant de monter en avion, on passe par le contrôle de sécurité.	✔	
2. On sert un repas pendant un vol transatlantique.	✔	
3. On ramasse les plateaux après le repas.	✔	
4. Le pilote sert les repas.		✔
5. Il faut mettre ses bagages dans le couloir.		✔

6 **Quel verbe?** Choose the correct verb to complete each phrase.

passer enregistrer sortir remplir servir choisir attacher

1. _____ choisir _____ une place côté couloir

2. _____ passer _____ par le contrôle de sécurité

3. _____ sortir _____ les bagages du coffre

4. _____ remplir _____ une carte de débarquement

5. _____ enregistrer _____ les bagages

6. _____ servir _____ un repas

7. _____ attacher _____ sa ceinture de sécurité

Structure Les verbes en -ir au présent

7 **Un voyage en avion** Complete with the indicated verb.

1. Romain et Christophe _____**choisissent**_____ un vol Air France. (choisir)

2. Quand Romain fait enregistrer ses bagages, il _____**choisit**_____ aussi sa place. (choisir)

3. Pendant le voyage, les deux garçons ont faim. Ils _____**finissent**_____ tout leur repas. (finir)

4. Après, ils _____**remplissent**_____ leur carte de débarquement. (remplir)

5. Leur avion _____**atterrit**_____ à New York à 2 h 45. (atterrir)

8 **Au pluriel** Rewrite each sentence in the plural.

1. Je choisis toujours un vol pendant la journée.

   Nous choisissons toujours un vol pendant la journée.

2. Le passager remplit sa carte de débarquement.

   Les passagers remplissent leur carte de débarquement.

3. L'avion atterrit à l'heure.

   Les avions atterrissent à l'heure.

4. Tu choisis toujours une place côté couloir?

   Vous choisissez toujours une place côté couloir?

5. Elle ne finit pas son repas.

   Elles ne finissent pas leur repas.

9 **Quel nom?** Can you figure out which noun goes with which verb?

1. __c__ finir   **a.** le remplissage

2. __e__ choisir   **b.** un atterrissage

3. __a__ remplir   **c.** la fin

4. __b__ atterrir   **d.** une croyance

5. __f__ voir   **e.** un choix

6. __d__ croire   **f.** la vue

Nom _____ Date _____

Quel et tout

10 **Céline et Aimé sortent.** Our friends don't know what to wear! Complete each blank with the correct form of **quel** followed by the item of clothing shown in the illustration.

1. 2. 3. 4. 5.

1. _____ Quelle jupe? _____   4. _____ Quelles chaussures? _____

2. _____ Quel chemisier? _____   5. _____ Quel manteau? _____

3. _____ Quel pull? _____

6. 7. 8. 9. 10.

6. _____ Quelle chemise? _____   9. _____ Quels baskets? _____

7. _____ Quel pantalon? _____   10. _____ Quelle veste? _____

8. _____ Quel anorak? _____

11 **Tout l'avion** Complete with the appropriate form of **tout** and a definite article.

1. _____ Toute la _____ cabine est non-fumeurs.

2. _____ Tout le _____ personnel de bord est français.

3. _____ Tous les _____ stewards sont très sympas.

4. _____ Toutes les _____ hôtesses de l'air sont sympas.

5. _____ Toutes les places _____ sont occupées.

6. _____ Tous les bagages _____ sont dans les coffres.

Les verbes **sortir**, **partir**, **dormir** et **servir**

12 **En voyage** Rewrite the sentences in the singular.

1. Les passagers partent pour Montréal.

   Le passager part pour Montréal.

2. Nous partons pour l'aéroport à sept heures.

   Je pars pour l'aéroport à sept heures.

3. Pendant le vol, les stewards servent des boissons.

   Pendant le vol, le steward sert des boissons.

4. Les passagers ne dorment pas.

   Le passager ne dort pas.

5. Et vous, vous dormez quand le vol est long?

   Et toi, tu dors quand le vol est long?

6. Vous sortez vos bagages du coffre? Pourquoi?

   Tu sors tes bagages du coffre? Pourquoi?

13 **Quand vous sortez...** Donnez des réponses personnelles.

1. Vous sortez pendant la semaine? Quel(s) jour(s)?

   Answers will vary.

2. Vous sortez pendant le week-end? Quel(s) jour(s)?

3. Quand vous sortez, vous sortez avec qui?

Les noms et adjectifs en **-al**

14 **Au pluriel** Rewrite in the plural.

1. un vol international **des vols internationaux**

2. un journal **des journaux**

3. une organisation internationale **des organisations internationales**

4. la ville principale **les villes principales**

5. un parc municipale **des parcs municipaux**

Un peu plus

 A **Carte de débarquement** Fill out the following disembarkation card. Use the boarding pass to fill out #7.

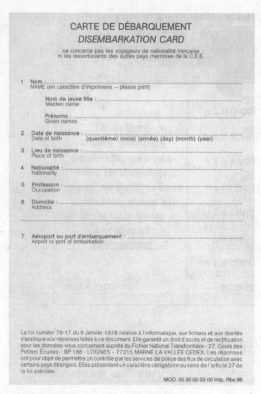

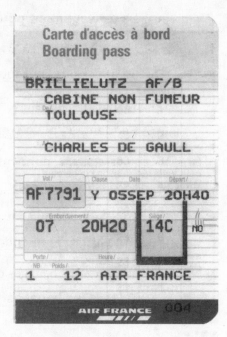

 B **Facile à comprendre!** You have already seen that French shares a lot of vocabulary with the other Romance languages derived from Latin. Look at the expressions below in Spanish, Italian, and Portuguese and notice how much you could understand at an airport in Madrid, Mexico City, Rome, Lisbon, or Rio de Janeiro.

français	espagnol	italien	portugais
la ligne aérienne	la línea aérea	la linea aerea	a linha aerea
le vol	el vuelo	il volo	o vôo
le passeport	el pasaporte	il passaporto	o passaporte
la porte	la puerta	la porta	a porta
la carte d'embarquement	la tarjeta de embarque	la carta d'imbarco	a cartão de embarque
la douane	la aduana	la dogana	a alfândega
la destination	el destino	la destinazione	o destino
le billet	el billete	il biglietto	o bilhete
le passager	el pasajero	il passaggero	o passageiro
le voyage	el viaje	il viaggio	a viagem

C **À l'aéroport Charles-de-Gaulle** If you have a connecting flight, you often have to transfer to another location in the airport. Here is the map of Terminal 2 at Charles-de-Gaulle Airport. Study it and answer the following questions. Make sure you estimate the distances correctly.

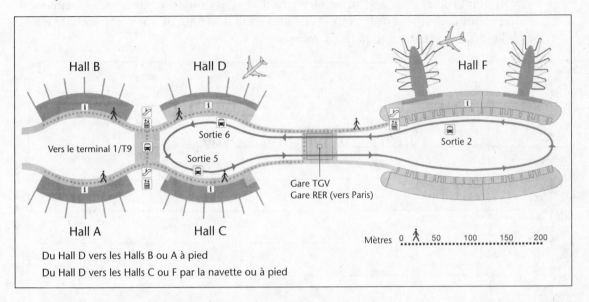

Hall B   Hall D   Hall F

Vers le terminal 1/T9

Sortie 6

Sortie 5

Gare TGV
Gare RER (vers Paris)

Sortie 2

Hall A   Hall C

Mètres 0   50   100   150   200

Du Hall D vers les Halls B ou A à pied
Du Hall D vers les Halls C ou F par la navette ou à pied

1. Quelle est la distance entre le hall F et le hall D?

   À peu près 500 mètres.

2. Et quelle est la distance entre le hall D et le hall B?

   À peu près 200 mètres.

3. Vous arrivez dans le hall F. Vous avez beaucoup de bagages. Votre vol de correspondance part du hall B. Qu'est-ce que vous allez faire? Vous allez trouver un chariot et y aller à pied ou vous allez prendre la navette? Où allez-vous prendre la navette? Jusqu'où?

   Answers will vary.

   _____

   _____

   _____

   _____

Mon autobiographie

Do you like to travel? Do you travel often? Do you travel by plane? If you do, tell about your experiences.

If you don't travel by plane, imagine a trip that you would like to take. Tell something about the airport near your home and something about the flight you are going to take. Include as many details as you can.

Mon autobiographie

CHAPITRE 9

Nom _____ Date _____

La gare et le train

Vocabulaire [Mots 1]

1 **Identifiez.** Identify each illustration.

1. _____ une gare

2. _____ un quai

3. _____ une salle d'attente

4. _____ un billet

5. _____ un horaire

6. _____ un kiosque

2 **Au guichet** Answer in complete sentences based on the illustration.

1. Qu'est-ce que ces gens font?

   Ils font la queue.

2. Ils sont tous patients?

   Non, il y a une femme qui regarde l'heure.

3. Que fait la fille au guichet?

   Elle achète un billet.

4. Qu'est-ce qu'elle a comme bagages?

   Elle a une valise.

Vocabulaire **Mots 2**

3 **Le train** Write a sentence about each illustration.

1.

2.

3.

4.

5.

1. ___**Une femme monte en voiture.**___

2. ___**Le contrôleur contrôle les billets.**___

3. ___**Des voyageurs descendent du train.**___

4. ___**La plupart des voyageurs sont assis. Il y a quelques voyageurs debout.**___

5. ___**Des voyageurs changent de train.**___

4 **Le contraire** Match each word in the left-hand column with its opposite in the right-hand column.

1. __f__ monter   **a.** vendre

2. __c__ assis   **b.** perdre patience

3. __d__ à l'heure   **c.** debout

4. __e__ le départ   **d.** en retard

5. __a__ acheter   **e.** l'arrivée

6. __b__ attendre   **f.** descendre

Structure Les verbes en -re au présent

5 **Un voyage en train** Complete with the correct form of the verb in parentheses.

1. On _____vend_____ des billets de train au guichet. (vendre)

2. Les voyageurs _____attendent_____ dans la salle d'attente. (attendre)

3. J'_____entends_____ l'annonce du départ de notre train. (entendre)

4. Notre train _____part_____ à l'heure. (partir)

5. Nous _____perdons_____ patience quand le train a du retard. (perdre)

6. Le contrôleur _____répond_____ aux questions des voyageurs.
(répondre)

7. Vous _____descendez_____ à quel arrêt? (descendre)

8. Moi, je _____descends_____ à Toulouse. (descendre)

6 **À la gare** Rewrite each sentence, changing the subject and the verb to the singular.
Make all other necessary changes.

1. Ils entendent l'annonce du départ de leur train.

_____**Il entend l'annonce du départ de son train.**_____

2. Vous n'entendez pas l'annonce du départ de votre train?

_____**Tu n'entends pas l'annonce du départ de ton train?**_____

3. Nous vendons des magazines et des journaux, c'est tout.

_____**Je vends des magazines et des journaux, c'est tout.**_____

4. Vous attendez depuis longtemps?

_____**Tu attends depuis longtemps?**_____

5. Nous descendons maintenant?

_____**Je descends maintenant?**_____

6. Ils attendent la correspondance.

_____**Il attend la correspondance.**_____

Les adjectifs démonstratifs

7 **Quelques précisions** Complete with the correct form of **quel** in the question and **ce** in the answer.

1. —On prend _____quel_____ train?

   —_____Ce_____ train-là.

2. —Il part de _____quelle_____ voie?

   —De _____cette_____ voie-là.

3. —On achète les billets à _____quel_____ guichet?

   —À _____ce_____ guichet-là.

4. —On monte dans _____quelle_____ voiture?

   —Dans _____cette_____ voiture-là.

5. —On a _____quelles_____ places?

   —_____Ces_____ places-là.

6. —On descend à _____quel_____ arrêt?

   —À _____cet_____ arrêt-là.

8 **Combien?** Complete with the correct form of **ce** followed by the item in the illustration.

1. Il coûte combien _____ce livre_____?

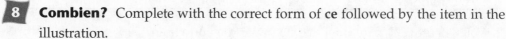

2. Et _____cette feuille de papier_____? Elle coûte combien?

3. Et _____ces cassettes_____? Elles coûtent combien?

 4. Et _____cette calculatrice_____? Elle coûte combien?

5. Et _____ce cahier_____? Il coûte combien?

 6. Et _____ces stylos_____? Ils coûtent combien?

Les verbes **dire, lire, écrire**

9 **Pas tout!** Complete with the correct form of the verb **dire**.

1. —Tu comprends ce que je _____ dis _____?

   —Pas tout ce que tu _____ dis _____.

2. —Tu comprends ce qu'ils _____ disent _____?

   —Pas tout ce qu'ils _____ disent _____.

3. —Tu comprends ce que nous _____ disons _____?

   —Pas tout ce que vous _____ dites _____.

4. —Tu comprends ce qu'elle _____ dit _____?

   —Pas tout ce qu'elle _____ dit _____.

10 **Nous ne sommes pas gentils.** Complete with the correct form of the verb **écrire**.

1. Je n'_____ écris _____ pas à Grand-Mère.

2. Mes parents n'_____ écrivent _____ pas à Grand-Mère.

3. Mon frère n'_____ écrit _____ pas à Grand-Mère.

4. Toi, tu n'_____ écris _____ pas à Grand-Mère.

5. Vous, vous n'_____ écrivez _____ pas à Grand-Mère.

6. Et elle, elle _____ écrit _____ toujours à tout le monde!

11 **Quelle coïncidence!** Complete with the correct form of the verb **lire**.

1. Qu'est-ce que tu _____ lis _____?

2. Qu'est-ce que je _____ lis _____? *Cyrano de Bergerac.*

3. Elle aussi, elle _____ lit _____ *Cyrano de Bergerac*?

4. Vous aussi, vous _____ lisez _____ *Cyrano de Bergerac*?

5. Eux aussi, ils _____ lisent _____ *Cyrano de Bergerac*?

6. Bien sûr que nous _____ lisons _____ tous le même livre. Nous sommes
   dans le même cours de français!

Un peu plus

 A **Les repas dans le train** Read the following information published in one of the SNCF guides. Then answer **vrai** or **faux**.

La restauration à bord

DANS LES TGV

LE BAR

Venez vous restaurer à la voiture-bar où un choix varié de produits vous est proposé : formule petit-déjeuner et formules repas, sandwichs, plats chauds, salades «fraîcheur», desserts et confiseries ainsi que des boissons chaudes et fraîches.

Des magazines sont en vente dans la quasi totalité des trains.

LE CONFORT D'UN REPAS SERVI À VOTRE PLACE

En 1re classe, dans certains trains, vous pouvez prendre vos repas (petit-déjeuner, déjeuner ou dîner) tranquillement installé dans votre fauteuil. Dans ce cas, la réservation est conseillée (votre titre repas est valable seulement dans le train pour lequel vous avez effectué votre réservation). De plus, des coffrets-repas froids peuvent être servis à la place, sans réservation, aux heures habituelles des repas.

---

	vrai	faux
1. En deuxième classe, on ne peut pas avoir de repas complet.		✔
2. On peut prendre un café à la voiture-bar.	✔	
3. On peut acheter un magazine dans le train.	✔	
4. En première classe, on peut manger à sa place.	✔	
5. En première classe, il faut réserver pour pouvoir déjeuner.	✔	
6. Il faut réserver aussi pour avoir un repas froid.		✔

Nom _____ Date _____

 Horaire Look at the train schedule for Paris–Zurich and answer the questions.

Paris > Dijon > Lausanne / Bern et Zurich

POUR CONNAITRE LES PRIX REPORTEZ-VOUS AUX PAGES 46 À 49

numéro du TGV		21	421	23	25	25	29	429	27	427
type de trains		EC	EC	EC	EC	EC	EC	EC	EC	EC
particularités				①	②	③	④	⑤		
restauration		♟▢	♟	♟▢	♟	♟	♟▢	♟▢	♟▢	♟
PARIS-GARE-DE-LYON	Départ	7.41	7.41	12.48	14.45	15.48	16.48	16.48	18.18	18.18
Dijon	Arrivée	9.23	9.23	14.31	16.26	17.29	18.32	18.32	20.04	20.04
Dole	Arrivée	9.52	9.52							
Mouchard	Arrivée	10.13	10.13						20.47	20.47
Frasne	Arrivée	10.53	10.53	15.53	17.44	18.49	19.52	19.52	21.25	21.25
Vallorbe	Arrivée	11.12		16.12	18.03	19.11	20.20		21.47	
LAUSANNE	Arrivée	11.46		16.46	18.37	19.46	20.54		22.21	
Pontarlier	Arrivée		11.10					20.06		21.43
Neuchatel	Arrivée		11.54					20.49		22.27
BERN	Arrivée	a 13.13	12.28	a 18.13	a 20.13	a 21.13		21.22	a 23.38	23.00
Olten	Arrivée							22.10		
Aarau	Arrivée							22.20		
ZURICH	Arrivée		13.45					22.47		

1. Tous ces trains partent de quelle gare à Paris?

   De la gare de Lyon.

2. Vous voulez aller à Neuchâtel en Suisse. Quels trains pouvez-vous prendre?

   Le 7 h 41, le 16 h 48 et le 18 h 18.

3. Vous voulez dîner à Neuchâtel. Quel train allez-vous prendre?

   Le train de 7 h 41.

4. Pourquoi allez-vous prendre ce train-là et pas le suivant?

   Parce que le train suivant arrive trop tard.

5. À quelle heure allez-vous arriver à Neuchâtel?

   À 11 h 54.

6. Il y a combien d'arrêts entre Paris et Neuchâtel?

   Il y a cinq arrêts.

Mon autobiographie

Do you ever travel by train? If so, tell about one of your train trips. If you don't, make one up. Imagine you are traveling by train in France and write something about your trip. Tell whether or not you think travel is interesting.

If you never travel by train, explain why you don't.

Mon autobiographie

CHAPITRE 10

Nom _____ Date _____

Les sports

Vocabulaire [Mots 1]

1 **Les sports** Identify each item.

1. _____un ballon_____ 2. _____un but_____ 3. _____des gradins_____

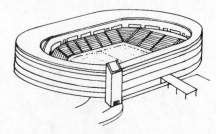 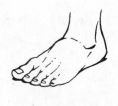

4. _____un stade_____ 5. _____un pied_____

2 **Définitions** Identify each person described below.

1. un garçon ou une fille qui joue ___un joueur ou une joueuse___

2. un joueur qui garde le but ___un gardien de but___

3. les personnes qui regardent le match ___les spectateurs___

4. un homme qui siffle quand il y a faute *(foul)* ___un arbitre___

3 **Le foot** Complete each sentence.

1. On joue au foot avec un _____ballon_____.

2. Il y a onze _____joueurs_____ dans une _____équipe_____ de foot.

3. On joue au foot sur un _____terrain de foot_____.

4. Il faut envoyer le ballon avec le _____pied_____ ou avec la tête.

5. Chaque équipe veut envoyer le ballon dans le but du camp
_____adverse_____.

6. Les _____gradins_____ sont pleins de monde.

Vocabulaire **Mots 2**

4 **Quel sport?** Identify the sport associated with each word or expression.

1. dribbler le ballon __**le basket-ball**__

2. lancer le ballon __**le basket-ball**__

3. un but __**le football**__

4. un filet __**le volley-ball / le tennis**__

5. un panier __**le basket-ball**__

6. une piste __**l'athlétisme**__

7. servir (le ballon) __**le volley-ball**__

8. un vélo __**le cyclisme**__

5 **Des sportifs** Identify each person.

1. _____**un coureur**_____

2. _____**une joueuse de volley-ball**_____

3. _____**une gagnante**_____

4. _____**un joueur de basket-ball**_____

5. _____**un arbitre**_____

Structure Le passé composé des verbes réguliers

 Hier soir aussi Complete each sentence in the **passé composé.**

1. J'étudie tous les soirs.

   Hier soir aussi ___j'ai étudié.___

2. Nous regardons la télévision tous les soirs.

   Hier soir aussi ___nous avons regardé la télévision.___

3. Mon père prépare le dîner tous les soirs.

   Hier soir aussi ___il a préparé le dîner.___

4. Mes frères jouent au football tous les soirs.

   Hier soir aussi ___ils ont joué au football.___

5. Vous mangez tous les soirs au restaurant?

   Hier soir aussi ___vous avez mangé au restaurant?___

6. Tu parles tous les soirs au téléphone avec ton amie?

   Hier soir aussi ___tu as parlé au téléphone avec ton amie?___

 Pas tout seul! Samia's brother gave a party for Samia, but his siblings helped. Rewrite the sentences replacing **je** by **nous.**

1. Dimanche, j'ai donné une fête pour l'anniversaire de Samia.

   ___Dimanche, nous avons donné une fête pour l'anniversaire de Samia.___

2. J'ai téléphoné à tous ses amis.

   ___Nous avons téléphoné à tous ses amis.___

3. J'ai invité cinquante personnes.

   ___Nous avons invité cinquante personnes.___

4. J'ai préparé tous les sandwichs.

   ___Nous avons préparé tous les sandwichs.___

5. J'ai servi les boissons.

   ___Nous avons servi les boissons.___

6. J'ai choisi les disques.

   ___Nous avons choisi les disques.___

7. J'ai beaucoup travaillé!

   ___Nous avons beaucoup travaillé!___

Nom _____ Date _____

8 Avant de regarder la télé Complete with the **passé composé** of the indicated verb.

1. Vous **avez fini** vos devoirs? (finir)
2. Vous **avez choisi** vos vêtements pour demain? (choisir)
3. Vous **avez dîné** ? (dîner)
4. Vous **avez donné** à manger au chat? (donner)
5. Vous **avez vérifié** que vous avez tout pour l'école? (vérifier)
6. Vous **avez entendu** ce que j'ai dit! (entendre)

9 Un match de foot Complete with the **passé composé** of the verb in parentheses.

1. Hier, Saint-Béat **a joué** contre Galié. (jouer)
2. Ils **ont joué** à Loure. (jouer)
3. Fort **a donné** un coup de pied dans le ballon. (donner)
4. Couret **a renvoyé** le ballon sur la tête. (renvoyer)
5. L'arbitre **a sifflé** . (siffler)
6. Il **a arrêté** le match quelques instants. (arrêter)
7. Couret **a marqué** deux buts. (marquer)
8. Saint-Béat **a perdu** . (perdre)
9. Galié **a gagné** par deux buts à un. (gagner)
10. Les spectateurs **ont entendu** l'annonce. (entendre)

10 Ce n'est pas vrai. Write a sentence negating the statement. Follow the model.

J'ai attendu très longtemps!
Non, tu n'as pas attendu très longtemps!

1. Nous avons gagné!
   Non, nous n'avons pas gagné! (Non, vous n'avez pas gagné!)
2. On a perdu!
   Non, on n'a pas perdu!
3. Vous avez fini!
   Non, nous n'avons pas fini!
4. Tu as rigolé!
   Non, je n'ai pas rigolé!

Workbook, Teacher Edition
Copyright © Glencoe/McGraw-Hill

11 **Au restaurant** Give personal answers.

1. Quand est-ce que tu as dîné au restaurant?

   Answers will vary. _____

2. Tu as dîné avec qui?

   _____

3. Qui a réservé une table?

   _____

4. Vous avez attendu longtemps?

   _____

5. Qu'est-ce que tu as commandé?

   _____

6. Qu'est-ce que les autres ont commandé?

   _____

7. À quelle heure vous avez fini de manger?

   _____

8. Qui a demandé l'addition?

   _____

9. Qui a payé l'addition?

   _____

10. Qui a laissé un pourboire pour le serveur?

    _____

11. Vous avez quitté le restaurant à quelle heure?

    _____

Qui, qu'est-ce que, quoi

12 **Questions** Write questions with **qu'est-ce que.** Follow the model.

Nous avons regardé un match de foot.
Qu'est-ce que vous avez regardé?

1. Les Français ont gagné la coupe du Monde.

   Qu'est-ce que les Français ont gagné?

2. Lance Armstrong a gagné le Tour de France.

   Qu'est-ce que Lance Armstrong a gagné?

3. Nous avons perdu le match.

   Qu'est-ce que vous avez perdu?

4. J'ai marqué un but.

   Qu'est-ce que tu as marqué?

5. L'arbitre a déclaré un penalty.

   Qu'est-ce que l'arbitre a déclaré?

13 **Encore des questions** Write a question about the italicized word(s).

1. J'ai joué au foot avec *des amis*.

   Tu as joué au foot avec qui?

2. Nous avons joué *au basket-ball*.

   Vous avez joué à quoi?

3. Nous mettons *un survêtement* pour faire de la gymnastique.

   Qu'est-ce que vous mettez pour faire de la gymnastique?

4. *Lance Armstrong* a gagné le Tour de France.

   Qui a gagné le Tour de France?

5. Michael Jordan est un joueur de *basket-ball*.

   Michael Jordan est un joueur de quoi?

Les verbes **boire**, **devoir** et **recevoir** au présent

14 **Des boissons** Complete with the correct form of the verb **boire** and finish the sentence.

1. —Qu'est-ce que vous _____ **buvez** _____?

—Nous __ **buvons** *(answers will vary)* _____.

2. —Qu'est-ce qu'elle _____ **boit** _____?

—Elle __ **boit** *(answers will vary)* _____.

3. —Qu'est-ce que tu _____ **bois** _____?

—Je __ **bois** *(answers will vary)* _____.

4. —Qu'est-ce qu'ils _____ **boivent** _____?

—Ils __ **boivent** *(answers will vary)* _____.

15 **Des obligations** Complete with the correct form of the verb **devoir** and finish the sentence.

1. —Tu veux aller au cinéma?

—Non, je __ **dois** *(answers will vary)* _____.

2. —Vous pouvez dîner avec nous?

—Non, on __ **doit** *(answers will vary)* _____.

3. —Ils vont jouer au foot?

—Non, ils __ **doivent** *(answers will vary)* _____.

4. —Vous allez déjeuner au restaurant?

—Non, nous __ **devons** *(answers will vary)* _____.

5. —Je peux aller avec vous?

—Non, tu __ **dois** *(answers will vary)* _____.

16 **Trop de catalogues!** Fill in the correct form of the verb **recevoir**.

1. Tous les jours, nous _____ **recevons** _____ des tonnes de catalogues!

2. Moi aussi, je _____ **reçois** _____ beaucoup de catalogues.

3. Lui non, il ne _____ **reçoit** _____ pas de catalogues.

4. Et vous, vous _____ **recevez** _____ beaucoup de catalogues?

5. Non, mais mes voisins, eux, qu'est-ce qu'ils _____ **reçoivent** _____ comme catalogues!

Un peu plus

A **Les Jeux olympiques** Read the following text about the Olympic Games.

C'est le roi d'Élide qui a créé les premiers Jeux olympiques à Olympie, en 884 avant Jésus-Christ, dans la Grèce antique.

C'est un Français, Pierre de Coubertin, qui a organisé les premiers Jeux olympiques modernes en 1896... à Athènes, bien sûr: «Pour assurer aux athlètes de tous les pays un plus grand prestige, il faut internationaliser le sport et il faut donc organiser les Jeux olympiques.»

C'est pourquoi, en souvenir de Pierre de Courbertin, les annonces sont faites dans la langue du pays, mais toujours en français aussi.

B **Trouvez les informations.** Find the following information in the reading.

1. la personne qui a organisé les premiers Jeux olympiques en Grèce antique

    le roi d'Élide

2. le nom et la nationalité de la personne qui a créé les Jeux olympiques modernes

    Pierre de Coubertin, français

3. la langue dans laquelle les annonces sont toujours faites

    le français

C **Les cinq anneaux** Read the following information.

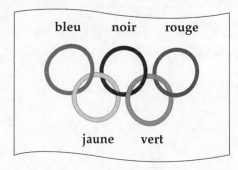

L'emblème des Jeux olympiques sont les cinq anneaux entrelacés qui symbolisent l'union des cinq continents: l'anneau bleu est l'Europe, l'anneau jaune est l'Asie, l'anneau noir est l'Afrique, l'anneau vert est l'Océanie et l'anneau rouge est l'Amérique.

D **Symboles** How are the following represented?

1. l'Europe   **l'anneau bleu**

2. l'Amérique   **l'anneau rouge**

3. l'Afrique   **l'anneau noir**

4. l'Asie   **l'anneau jaune**

5. l'Océanie   **l'anneau vert**

E **Un joueur de basket** Look at the information about this basketball player and answer the questions.

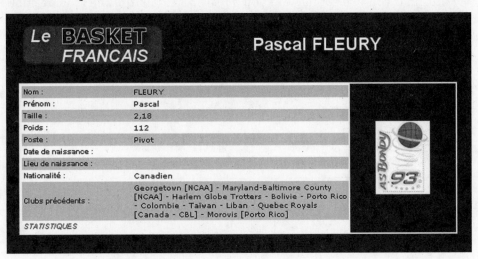

Le **BASKET** *FRANCAIS*

Pascal FLEURY

Nom :	FLEURY
Prénom :	Pascal
Taille :	2,18
Poids :	112
Poste :	Pivot
Date de naissance :	
Lieu de naissance :	
Nationalité :	Canadien
Clubs précédents :	Georgetown [NCAA] - Maryland-Baltimore County [NCAA] - Harlem Globe Trotters - Bolivie - Porto Rico - Colombie - Taïwan - Liban - Quebec Royals [Canada - CBL] - Morovis [Porto Rico]

STATISTIQUES

1. Quel est le nom de ce joueur?

   Pascal Fleury.

2. Il est français?

   Non, il est canadien.

3. Il est grand? Il mesure combien en mètres? Et en pieds et en pouces?

   Oui, il est très grand. Il mesure 2 mètres, 18. Ça fait 7 pieds, 2 pouces.

4. Est-ce qu'il a joué dans un club français?

   Non, il n'a pas joué dans un club français.

F **Un nouveau sport** Look at the following information and answer the questions.

1. Quel est ce nouveau sport?

   Le rollerbasket.

2. Qu'est-ce qu'il faut pour jouer à ce nouveau sport?

   Des rollers, un ballon et un terrain de basket.

3. Il y a combien de joueurs dans chaque équipe?

   Il y a trois joueurs dans chaque équipe.

LE ROLLERBASKET Inventé par le joueur professionel de basket américain Tom Lagarde, le Rollerbasket se pratique avec des rollers aux pieds! Deux équipes de trois joueurs s'affrontent sur un classique terrain de basket. Le premier tournoi s'est déroulé à New York l'an dernier.

4. Qui a inventé ce sport?

   Tom Lagarde, un Américain.

Mon autobiographie

How much do you like sports? Are you a real sports fan **(un/une fana de sport)?** If you participate in a team sport, write about it. Do you prefer to participate or to be a spectator? Write something about the teams at your school.

Mon autobiographie

Nom _____ Date _____

L'été et l'hiver

Vocabulaire `Mots 1`

1 **À la plage** Identify each item.

1. __des lunettes__ __de soleil__

2. __de la crème__ __solaire__

3. __un maillot (de bain)__

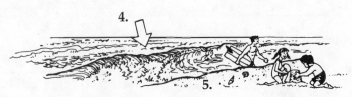 

4. __une vague__ 5. __la plage / le sable__ 6. __une serviette__

2 **Les sports d'été** Write a sentence under each illustration telling what the people are doing.

 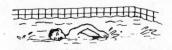

1. __Elles font du ski nautique.__ 2. __Il nage.__

3. __Elle fait de la planche à voile.__ 4. __Ils font une promenade.__

3 **Pour ou contre la plage?** Give personal answers.

1. Tu aimes aller à la plage?

   Answers will vary. _____

2. Tu y vas avec qui? Avec tes copains? Tes frères et sœurs?

   _____

3. Tu aimes prendre des bains de soleil?

   _____

4. Et tes copains, ils aiment prendre des bains de soleil aussi?

   _____

5. Vous mettez de la crème solaire?

   _____

6. Tu nages bien?

   _____

7. Et tes copains, ils nagent bien?

   _____

8. Tu fais du ski nautique? Du surf?

   _____

9. Et tes copains, qu'est-ce qu'ils font?

   _____

10. Il y a une plage près de chez toi? Où?

    _____

4 **La natation** Complete with an appropriate word.

1. Caroline apprend à nager. Elle prend des leçons de _____ **natation** _____.

2. Elle prend des leçons dans une _____ **piscine** _____, pas dans la mer.

3. Maintenant elle nage assez bien. Elle a bien écouté le _____ **moniteur** _____.

4. Elle nage assez bien et elle _____ **plonge** _____ assez bien aussi.

Vocabulaire Mots 2

5 **Une station de sports d'hiver** Identify each item.

1. __une montagne__ 2. __un télésiège__ 3. __une skieuse__

4. __un sommet__ 5. __une piste__ 6. __une bosse__

6 **Le matériel de ski** Identify each item.

1. __des bâtons__ 2. __des chaussures de ski__ 3. __des gants__

4. __un anorak__ 5. __des skis__ 6. __des lunettes__

7. __une écharpe__ 8. __un bonnet__

7 **Le temps et les saisons** Check the corresponding season(s). Use as reference a place with four distinct seasons.

	au printemps	en été	en automne	en hiver
1. Il pleut.	✔	✔	✔	✔
2. Il neige.				✔
3. Il y a du vent.	✔	✔	✔	✔
4. Il fait chaud.		✔		
5. Il fait du soleil.	✔	✔	✔	✔
6. Il fait mauvais.	✔	✔	✔	✔
7. Il fait frais.	✔		✔	
8. Il gèle.				✔

8 **Le patin à glace** Correct the false statements.

1. Pour faire du patin, on met des skis.

   Pour faire du patin, on met des patins.

2. On fait du patin sur la neige.

   On fait du patin sur la glace. / On fait du ski sur la neige.

3. On fait du patin sur un terrain.

   On fait du patin sur une patinoire.

4. Il y a de la glace quand il fait chaud.

   Il y a de la glace quand il gèle / quand il fait très froid.

5. On ne peut pas tomber quand on fait du patin.

   On peut tomber quand on fait du patin.

6. Joël est débutant. Il fait très bien du patin.

   Joël est débutant. Il ne fait pas très bien du patin.

Structure Le passé composé des verbes irréguliers

 Vive le ski! Rewrite each sentence in the **passé composé**.

1. Guillaume fait du ski.

   Guillaume a fait du ski.

2. Il met ses skis.

   Il a mis ses skis.

3. Il prend son ticket.

   Il a pris son ticket.

4. Il fait la queue au télésiège.

   Il a fait la queue au télésiège.

5. Il voit une copine dans la queue.

   Il a vu une copine dans la queue.

6. Il dit «salut» à sa copine.

   Il a dit «salut» à sa copine.

7. Ils prennent le télésiège ensemble.

   Ils ont pris le télésiège ensemble.

8. Guillaume veut prendre une piste difficile.

   Guillaume a voulu prendre une piste difficile.

9. Mais sa copine ne veut pas.

   Mais sa copine n'a pas voulu.

10. Il prend la piste difficile tout seul.

   Il a pris la piste difficile tout seul.

11. Il a un petit accident: il perd un ski.

   Il a eu un petit accident: il a perdu un ski.

12. Il doit descendre à pied!

   Il a dû descendre à pied!

10 **En classe** Complete with the **passé composé** of the verb in parentheses.

1. Le professeur _____ **a dit** _____ bonjour. (dire)

2. J'_____ **ai compris** _____ ce qu'il _____ **a dit** _____ . (comprendre, dire)

3. Tous les élèves _____ **ont pris** _____ des notes. (prendre)

4. Vous _____ **avez écrit** _____ vos notes dans votre cahier? (écrire)

5. Oui, et après le cours, nous _____ **avons lu** _____ nos notes. (lire)

6. Carole _____ **a voulu** _____ lire mes notes, mais elle

   n'_____ **a** _____ pas _____ **pu** _____ lire mon écriture. (vouloir, pouvoir)

7. Toi, tu n'_____ **as** _____ pas _____ **compris** _____ ce que le prof

   _____ **a dit** _____ . (comprendre, dire)

8. Tu _____ **as dû** _____ copier mes notes. (devoir)

Les mots négatifs

11 **Pas sympa!** Rewrite each sentence in the negative.

1. Il dit quelque chose à son copain.

   Il ne dit rien à son copain. _____

2. Et son copain écrit quelque chose.

   Et son copain n'écrit rien. _____

3. Il voit quelqu'un.

   Il ne voit personne. _____

4. Il donne quelque chose à quelqu'un.

   Il ne donne rien à personne. _____

5. Il dit quelque chose à quelqu'un.

   Il ne dit rien à personne. _____

6. Il parle souvent à quelqu'un.

   Il ne parle jamais à personne. _____

Le passé composé avec **être**

12 **À l'école** Rewrite the sentences in the **passé composé.**

1. Je vais à l'école.

 Je suis allé(e) à l'école.

2. J'arrive à huit heures.

 Je suis arrivé(e) à huit heures.

3. J'arrive avec mes copains.

 Je suis arrivé(e) avec mes copains.

4. Nous entrons dans l'école.

 Nous sommes entré(e)s dans l'école.

5. Nous montons dans notre classe.

 Nous sommes monté(e)s dans notre classe.

6. À onze heures et demie, nous descendons à la cantine.

 À onze heures et demie, nous sommes descendu(e)s à la cantine.

7. Nous sortons de l'école à trois heures.

 Nous sommes sorti(e)s de l'école à trois heures.

8. Je rentre directement chez moi.

 Je suis rentré(e) directement chez moi.

13 **Flore** Complete with **est** or **a.**

1. Flore _____**est**_____ allée à l'école.
5. Elle _____**a**_____ dit bonjour.

2. Elle _____**a**_____ pris l'autobus.
6. Elle _____**est**_____ sortie dans la cour.

3. Elle _____**est**_____ arrivée.
7. Elle _____**a**_____ parlé à ses copines.

4. Elle _____**est**_____ entrée dans
la classe.
8. Elle _____**est**_____ rentrée chez elle.

14 **La plage** Complete with the **passé composé** of the verb in parentheses.

1. Marie-Christine et ses copains _____**sont allés**_____ à la plage. (aller)

2. Ils _____**sont partis**_____ à dix heures. (partir)

3. Ils _____**sont entrés**_____ dans l'eau immédiatement. (entrer)

4. Ils _____**sont restés**_____ dans l'eau toute la journée. (rester)

5. Ils _____**sont sortis**_____ de l'eau complètement gelés! (sortir)

6. Ils _____**sont rentrés**_____ chez eux tard le soir! (rentrer)

Un peu plus

 A   **Deux proverbes**   Read the following French proverbs.

Après la pluie, le beau temps.   pluie *rain*

Le temps, c'est de l'argent.

1. The same word appears in each proverb. Which one? __**temps**__

2. Do you think the word means the same thing in both proverbs? __**no**__

3. What does the word **temps** mean in the first proverb? __**weather**__

4. What does it mean in the second proverb? __**time**__

5. The English equivalent of the second proverb is very similar to the French. What
   would it be? __**Time is money.**__

6. Can you find the English equivalent for the first proverb? It also has to do with
   weather. __**Every cloud has a silver lining.**__

B   **Le Canada**   Read the following text.

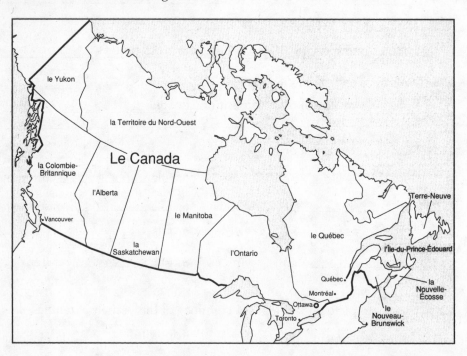

Le Canada est un grand pays en Amérique du Nord. Il est divisé en dix provinces et
deux territoires. Les deux territoires sont le Territoire du Nord-Ouest et le Yukon. Le
Canada a 31 millions d'habitants—7 millions sont des Canadiens français. Les deux
langues officielles du Canada sont l'anglais et le français.

La plupart des Canadiens français habitent dans la province du Québec ou dans les
provinces maritimes de l'est du pays. Montréal et Québec sont les plus grandes villes
du Québec. Montréal est la deuxième ville francophone du monde après Paris.

Répondez. Give answers based on the reading.

1. Où est le Canada?

   En Amérique du Nord. _____

2. Il y a combien de provinces au Canada?

   Dix. _____

3. Quelle est la population du Canada?

   Trente et un millions d'habitants. _____

4. Il y a combien de francophones au Canada?

   Sept millions. _____

5. Quelles sont les deux langues officielles du Canada?

   L'anglais et le français. _____

6. Où habitent la plupart des Canadiens français?

   Au Québec et dans les provinces maritimes de l'est. _____

D **Un nouveau sport** Read the following text and answer the questions.

1. Qui a inventé la voile Birdsail?

   Un Français. _____

   _____

2. Quelles sont les trois utilisations possibles de Birdsail?

   Sur la plage avec des rollers. Sur la

   neige avec le ski. Sur la mer avec une

   planche.

3. Qu'est-ce qu'il faut pour faire de la voile Birdsail?

   Il faut du vent. _____

   _____

HOMME À VOILE Créée récemment par un Français, la voile BirdSail s'attache sur le corps grâce à un harnais fixé autour du torse. Légère et maniable, elle s'utilise sur la plage avec des rollers, sur la neige à ski ou sur la mer en surf. À condition bien sûr qu'il y ait du vent!

Mon autobiographie

What is the weather like where you live? How many seasons do you have? Which one is your favorite? Choose one season and write as much as you can about your activities, what sports you participate in, what trips you take.

Mon autobiographie

Nom _____ Date _____

1 Make a list of five things to take to the beach.

1. ___*Answers will vary.*_____

2. _____

3. _____

4. _____

5. _____

2 Make a list of five things to take when you go skiing.

1. ___*Answers will vary.*_____

2. _____

3. _____

4. _____

5. _____

3 Choose the correct completion.

1. La plage est ___a___.
   a. au bord de la mer
   b. sur une planche à voile
   c. dans une piscine

2. Un arbitre ___c___.
   a. envoie le ballon dans le but
   b. marque un but
   c. siffle quand il y a un but

3. Quand le stade est plein, ___c___.
   a. il n'y a pas de spectateurs
   b. il y a quelques spectateurs
   c. il y a beaucoup de spectateurs

4. Quand il fait chaud, ___b___.
   a. il y a de la neige
   b. il y a du soleil
   c. il y a de la glace

5. Dans une piscine, on peut ___a___.
   a. plonger
   b. skier
   c. faire du patin

6. Avant de voyager, il faut ___c___.
   a. acheter un journal
   b. parler au contrôleur
   c. composter son billet

7. Un billet de première est ___a___.
   a. plus cher qu'un billet de seconde
   b. moins cher qu'un billet de seconde
   c. le même prix qu'un billet de seconde

8. Il a gagné: il est arrivé ___c___.
   a. le dernier
   b. en retard
   c. le premier

Workbook, Teacher Edition
Copyright © Glencoe/McGraw-Hill

Bon voyage! Level 1, Self-Test 3 ❖ **115**

4 Complete with the correct form of the present tense of the verb in parentheses.

1. Tu _____**sors**_____ souvent avec tes copains? (sortir)

2. Vous allez à Paris quand vous _____**sortez**_____? (sortir)

3. Vous _____**partez**_____ à quelle heure? (partir)

4. Vous _____**attendez**_____ vos copains quand ils sont en retard? (attendre)

5. Vous _____**dites**_____ quelque chose à vos copains s'ils sont en retard? (dire)

6. Et eux, ils _____**disent**_____ quelque chose quand vous êtes en retard? (dire)

5 Rewrite the sentences in the plural.

1. Il sert le petit déjeuner de 7 heures à 10 heures et demie.

   Ils servent le petit déjeuner de 7 heures à 10 heures et demie.

2. Je ne dors pas bien dans cet hôtel.

   Nous ne dormons pas bien dans cet hôtel.

3. Tu ne dis rien?

   Vous ne dites rien?

4. Moi, quand je ne peux pas dormir, je lis.

   Nous, quand nous ne pouvons pas dormir, nous lisons.

5. Et moi, j'écris des lettres et je ne perds pas patience.

   Et nous, nous écrivons des lettres et nous ne perdons pas patience.

6 Complete with an appropriate word.

—_____**Qu'est-ce que**_____ tu lis?
1

—*Le Comte de Monte-Cristo.*

—Tu lis _____**quoi**_____?
2

—*Le Comte de Monte-Cristo.* Tu n'as jamais lu _____**ce**_____ livre?
3

—Non.

—Mais _____**tout**_____ le monde a lu *le Comte de Monte-Cristo!*
4

—Pas moi. Et... _____**qui**_____ a écrit *le Comte de Monte-Cristo?*
5

—Ah, il faut demander au prof.

—À _____**quel**_____ prof?
6

—Ben, au prof de français, bien sûr!

7 Rewrite the sentences, saying the opposite.

    1. Il parle à tout le monde.

      Il ne parle à personne.

    2. Vous dites quelque chose.

      Vous ne dites rien.

    3. Je suis toujours à l'heure.

      Je ne suis jamais à l'heure.

    4. Nous attendons quelqu'un.

      Nous n'attendons personne.

8 Rewrite the sentences in the **passé composé.**

    1. Il parle.

      Il a parlé.

    2. Nous choisissons.

      Nous avons choisi.

    3. Vous finissez?

      Vous avez fini?

    4. Tu perds!

      Tu as perdu!

9 Write the past participle of the verb.

devoir	**dû**	prendre	**pris**
boire	**bu**	apprendre	**appris**
croire	**cru**	comprendre	**compris**
voir	**vu**	mettre	**mis**
pouvoir	**pu**	dire	**dit**
vouloir	**voulu**	écrire	**écrit**
lire	**lu**		
recevoir	**reçu**	être	**été**
avoir	**eu**	faire	**fait**

Workbook, Teacher Edition
Copyright © Glencoe/McGraw-Hill

Bon voyage! Level 1, Self-Test 3 ❖ **117**

10 Give personal answers.

1. Tu es sorti(e) samedi soir?

**Answers will vary.**

2. Tu es sorti(e) avec qui?

_____

3. Vous êtes allé(e)s où?

_____

4. Vous êtes resté(e)s combien de temps?

_____

5. Qu'est-ce que vous avez fait?

_____

6. Vous êtes rentré(e)s à quelle heure?

_____

7. Vous êtes rentré(e)s comment?

_____

11 Write a sentence according to the model.

Tu es sorti hier.
Je ne suis pas sorti hier.

1. Tu es rentré à minuit.

Je ne suis pas rentré à minuit.

2. Ils sont partis la semaine dernière.

Ils ne sont pas partis la semaine dernière.

3. J'ai toujours été à l'heure!

Tu n'as jamais été à l'heure!

4. Vous avez eu de la chance.

Nous n'avons pas eu de chance.

5. Elle a dit quelque chose.

Elle n'a rien dit.

6. Ils ont vu quelqu'un.

Ils n'ont vu personne.

Answers appear on pages 155–156.

Nom _____ Date _____

La routine quotidienne

Vocabulaire Mots 1

1 **Tous les jours** Write a sentence telling what the person in each illustration is doing.

Marie

1. __Marie se lave les cheveux.__

Carole

2. __Carole se brosse (lave) les dents.__

Guy

3. __Guy se rase.__

Christian

4. __Christian s'habille.__

Thierry

5. __Thierry se réveille.__

Sabine

6. __Sabine se couche.__

2 **Il a besoin de quoi?** Write what Arnaud needs according to the illustrations.

1. 2. 3. 4. 5. 6.

1. Arnaud va se laver. Il a besoin d'un ___**gant de toilette**___ .

2. Il va se laver les cheveux. Il a besoin de ___**shampooing**___ .

3. Il va prendre une douche. Il a besoin de ___**savon**___ .

4. Il va se raser. Il a besoin d'un ___**rasoir**___ .

5. Il va se peigner. Il a besoin d'un ___**peigne**___ .

6. Il va se laver les dents. Il a besoin de ___**dentifrice**___ .

3 **Le matin** These drawings show Sylvie's morning routine. First write the letters of the drawings in logical order. Then write a caption for each drawing.

A. B. C. D.

E. F. G. H.

1. ___D___ *Answers may vary.* **Sylvie se réveille.** _____

2. ___A___ **Elle se lève.** _____

3. ___G___ **Elle se lave.** _____

4. ___C___ **Elle prend son petit déjeuner.** _____

5. ___E___ **Elle se brosse les dents.** _____

6. ___F___ **Elle s'habille.** _____

7. ___H___ **Elle quitte la maison.** _____

8. ___B___ **Elle arrive à l'école.** _____

Vocabulaire　Mots 2

4　**Dans la cuisine** Identify the following items.

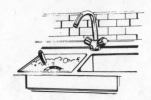

1. _____ un évier _____

2. _____ un réfrigérateur /　un frigidaire _____

3. _____ un lave-vaisselle _____

4. _____ un magnétoscope _____

5. _____ une cassette vidéo _____

6. _____ une télécommande _____

5　**Dans quel ordre?** Put the following activities in logical order.

___4___ débarrasser la table　　　___3___ servir le repas

___1___ faire le repas　　　___2___ mettre la table

___5___ faire la vaisselle

6　**Activités quotidiennes** Complétez.

1. Si on n'a pas de lave-vaisselle, il faut faire la ____vaisselle____

   dans l'____évier____.

2. Pour zapper, on utilise la ____télécommande____.

3. On zappe pour éviter les ____publicités____.

4. On zappe aussi pour changer de ____chaîne____.

5. Quand on veut regarder une émission, on ____allume____ la
   télévision.

6. Quand l'émission est finie, on ____éteint____ la télévision.

7. Quand on n'est pas là, on peut ____enregistrer____ une émission.

8. En général, les enfants doivent faire leurs ____devoirs____ avant de
   regarder la télévision.

Structure Les verbes réfléchis au presént

7 **Qu'est-ce qu'ils font?** Write a sentence describing what the people are doing.

1.
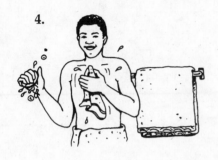

2.

3.

4.

5.

6.

1. **La fille regarde le bébé.**

2. **Elle se regarde dans une glace.**

3. **Le garçon lave la voiture.**

4. **Il se lave.**

5. **La fille brosse le chien.**

6. **Elle se brosse les cheveux.**

8 **La matinée de Jamal** Read the conversation and write a paragraph about Jamal's morning.

—Dis donc, Jamal, tu te lèves à quelle heure, le matin?

—À quelle heure je me lève? Oh, en général à six heures et demie.

—C'est tôt, non?

—Pas vraiment. Je me lave, je m'habille, je me brosse les dents, je me rase... et il est sept heures et demie, l'heure de partir au lycée.

> **Le matin, Jamal se lève à six heures et demie. Il se lave, il s'habille, il**
>
> **se brosse les dents. Il part au lycée à sept heures et demie.**

9 **Dans la salle de bains** Complete each sentence with the correct form of the verb in parentheses.

1. Le matin, tout le monde veut la salle de bains. Moi, je __me réveille__ à sept heures. (se réveiller)

2. Mon frère __se réveille__ à sept heures moins le quart. (se réveiller)

3. Alors, bien sûr, il __se lave__ avant moi! (se laver)

4. Mon père __se rase__ déjà à six heures et demie. (se raser)

5. Ma mère et ma sœur __se lavent__ les dents ensemble pour laisser la place aux autres. (se laver)

6. Mon frère et moi, nous __nous habillons__ dans notre chambre parce que maman veut __se maquiller__. (s'habiller, se maquiller)

7. Ma sœur __se peigne__ dans sa chambre! (se peigner)

8. Tout le monde __se dépêche__! (se dépêcher)

10 **Qu'est-ce que vous faites d'abord?** Complete with the verbs in parentheses. Put them in a logical order. Use **nous**.

1. se laver / se réveiller

D'abord __nous nous réveillons__ et ensuite, __nous nous lavons__.

2. s'habiller / se raser

D'abord __nous nous rasons__ et ensuite, __nous nous habillons__.

3. se coucher / se laver les dents

D'abord __nous nous lavons__ les dents et ensuite, __nous nous couchons__.

4. se peigner / se laver les cheveux

D'abord __nous nous lavons__ les cheveux et ensuite, __nous nous peignons__.

Verbs with spelling changes

11 **Noms et prénoms** Complete with the correct form of **appeler**.

1. Moi, je __m'appelle *(names will vary)*__.

2. Mon frère __s'appelle. . .__

3. Ma sœur __s'appelle. . .__

4. Mes cousins __s'appellent. . .__

5. Mes copains __s'appellent. . .__

12 **Très raisonnables!** Complete with the correct form of the verb in parentheses.

1. Nous _____**nous levons**_____ très tôt. (se lever)

2. Je _____**promène**_____ le chien. (promener)

3. Nous _____**nageons**_____ pendant une heure. (nager)

4. Nous _____**mangeons**_____ très peu. (manger)

5. Ils _____**achètent**_____ des fruits, c'est tout. (acheter)

6. Nous _____**commençons**_____ à travailler à huit heures. (commencer)

Les verbes réfléchis au passé composé

13 **Hier** Complete with the **passé composé** according to the illustrations.

1. Tu _____**t'es réveillé**_____ à sept

heures.

3. Votre mère _____**s'est maquillée**_____

dans la salle de bains.

5. Ta mère et ta sœur

_____**se sont dépêchées**_____ aussi.

2. Ton frère et toi, **vous vous êtes habillés**

dans votre chambre.

4. Ton frère et toi, _____**vous vous êtes**_____

_____**dépêchés**_____ pour aller à l'école.

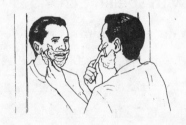

6. Ton père _____**s'est rasé**_____, il

s'est habillé et il est parti travailler.

14 **Avant le petit déjeuner** Write what Claire did this morning before breakfast.

1. Elle s'est réveillée à sept heures moins le quart.

2. Elle s'est levée.

3. Elle s'est brossé / lavé les dents.

4. Elle s'est lavé la figure.

15 **Ce n'est pas vrai.** Rewrite the sentences in the negative.

1. Julien s'est réveillé très tôt.

   Julien ne s'est pas réveillé très tôt.

2. Il s'est levé immédiatement.

   Il ne s'est pas levé immédiatement.

3. Il s'est rasé.

   Il ne s'est pas rasé.

4. Il s'est habillé très vite.

   Il ne s'est pas habillé très vite.

5. Il s'est dépêché.

   Il ne s'est pas dépêché.

Un peu plus

 Programme de télévision Look at the television guide page. These programs are especially chosen for young people. Do you recognize some programs?

■ **7h10** ⏵ 10h03 **TF1**
Disney Club
Winnie l'ourson.
Les Gummi. Dingo.
Aladdin. Myster Mask.
♥ Zorro. Reportages.

■ **7h15** ⏵ 9h50 **M6**
Covington cross (Série)

■ **7h30** ⏵ 8h30 **CINQUIÈME**
♥ **Jeunesse**
Téléchat (8h25).

■ **7h45** ⏵ 8h35 **FRANCE 2**
Dimanche mat'
La panthère rose. Océane.

▣ **7h45** ⏵ 8h55 **FRANCE 3**
Les Minikeums
♥ Il était une fois la vie.
♥ Les contes
du chat perché (8h15).
Le Maxikeum (8h40).

■ **8h45** ⏵ 10h **CINQUIÈME**
Les écrans du savoir
L'ABC d'hier.
La police (9h15). Les clés
de la nature (9h30).
L'œuf de Colomb (9h45).

▣ **9h** ⏵ 10h **FRANCE 3**
Télétaz
Batman.
Le diable de Tasmanie.
Les animaniacs.

■ **10h05** ⏵ 10h20 **FRANCE 3**
Microkid's multimédia

■ 10h25 ⏵ 10h50 **FRANCE 3**
♥ **C'est pas sorcier**
La tour Eiffel
Comment la tour Eiffel est-elle construite ?

■ **11h50** ⏵ 12h20 **M6**
Sport : Dole Fundoor

■ **12h** ⏵ 13h **CINQUIÈME**
**Avant qu'il ne soit
trop tard**
Documentaire écologique
pour la survie des espèces.

■ **12h20** ⏵ 12h55 **M6**
Madame est servie
(Série)

■ **12h30** ⏵ 13h30 **C+ (clair)**
Télé dimanche

■ **12h55** ⏵ 16h10 **M6**
Double verdict
Warren, avocat à Houston, a
menti à la cour. Résultat : il
n'a plus le droit d'exercer.
C'est le désespoir. Jusqu'au
jour où un grand avocat l'appelle…

▣ **13h10** ⏵ 14h05 **FRANCE 3**
Les quatre dromadaires
Les crocodiles,
seigneurs du Kirawira
A part les belles scènes où les
crocodiles croquent les antilopes et les gnous, ce documentaire est un peu ennuyeux.

■ **13h20** ⏵ 14h15 **TF1**
Walker Texas Ranger

■ **13h25** ⏵ 17h50 **FRANCE 2**
Dimanche Martin

■ **13h30** ⏵ 14h05 **C+ (clair)**
♥ **La semaine
des Guignols**

■ **14h55** ⏵ 16h20 **F3**
Sport dimanche
Basket (15h30).

■ **15h10** ⏵ 16h05 **F2**
♥ **Cousteau**

■ **16h** ⏵ 17h **CINQUIÈME**
♥ ♥ **Le comte
de Monte-Cristo**
Voir encadré. ▶

■ **16h10** ⏵ 17h05 **M6**
Fréquenstar
Elie et Dieudonné
(Divertissement)

■ **16h10** ⏵ 17h10
C+ (clair)
**Décode pas
Bunny**

♥ ♥ **LE COMTE DE MONTE-CRISTO**
■ 16h ⏵ 17h **CINQUIÈME**
Avis aux amateurs de grandes aventures, de belles
romances d'amour, d'histoire de France… il y en a
vraiment pour tous les goûts.
1814 : Napoléon Bonaparte, exilé sur l'île d'Elbe après
ses défaites en France, cherche à renverser le roi Louis
XIII. A Marseille, un jeune capitaine, amoureux de
la belle Mercedes, fait des jaloux. Victime d'un complot, on l'accuse d'aider Bonaparte et on l'emprisonne. Une injustice qu'il va tenter de réparer…
Du suspense pour cette série très réussie.

B **À la télévision** Give answers based on the television guide page.

1. Quelles sont les chaînes de télévision en France?

   TF1, France 2, France 3, Canal +, la Cinquième, et M6

   _____

   _____

   _____

   _____

2. Si vous aimez les documentaires, qu'est-ce que vous allez regarder?

   Answers will vary.

   _____

   _____

   _____

   _____

3. Si vous aimez les dessins animés, qu'est-ce vous allez regarder?

   Answers will vary.

   _____

   _____

   _____

   _____

4. Si vous aimez les sports, qu'est-ce que vous allez regarder?

   Answers will vary.

   _____

   _____

   _____

   _____

5. Si vous voulez voir un film, qu'est-ce que vous allez regarder?

   Answers will vary.

   _____

   _____

   _____

   _____

Mon autobiographie

Every day there are routine activities we all have to do. Give as much information as you can about your daily routine. Tell what you usually do each day. Tell what time you usually do it.

Mon autobiographie

CHAPITRE 13

Les loisirs culturels

Vocabulaire Mots 1

1 **Le cinéma** Give personal answers.

1. Il y a un cinéma près de chez vous? Comment s'appelle-t-il?

   *Answers will vary.*_____

2. On joue des films étrangers dans ce cinéma?

   _____

3. Vous avez déjà vu un film étranger?

   _____

4. Vous avez vu ce film en version originale, doublé ou avec des sous-titres?

   _____

5. Quel(s) genre(s) de film préférez-vous?

   _____

2 **Le théâtre** Identify each illustration.

1. _____ un acteur _____

2. _____ un chanteur _____

3. _____ une danseuse _____

4. _____ une pièce de théâtre _____

3 **Une troupe de théâtre** Give personal answers about a theater club in your school.

1. Vous aimez le théâtre?

   Answers will vary.

2. Il y a une troupe de théâtre dans votre école?

   _____

3. Vous faites partie de cette troupe de théâtre?

   _____

4. Elle s'appelle comment?

   _____

5. Elle monte combien de pièces par an?

   _____

6. Quel genre de pièces?

   _____

7. Cette année, la troupe va monter quelle pièce?

   _____

8. Comment s'appelle cette pièce? C'est quelle genre de pièce?

   _____

9. Vous jouez dans cette pièce? Quel rôle?

   _____

10. Vous avez des ami(e)s qui jouent dans cette pièce? Quels rôles?

   _____

4 **Vrai ou faux?** Check the appropriate box.

	vrai	faux
1. Un film doublé a des sous-titres.		✔
2. Un film en version originale est toujours en français.		✔
3. Au cinéma, il y plusieurs séances le week-end.	✔	
4. On peut louer des films en vidéo.	✔	
5. Dans une comédie musicale, il n'y a pas de chanteurs.		✔
6. Un entracte est entre deux actes.	✔	

Vocabulaire Mots 2

5 **Qu'est-ce que c'est?** Identify the following items.

1. ___un sculpteur___   2. ___un tableau___   3. ___une exposition /___
                                                                              ___un musée___

4. ___une peintre___   5. ___une statue___

6 **Un musée** Give personal answers.

1. Il y a un musée près de chez vous?

    Answers will vary.
_____

2. C'est quel musée?

_____

3. Il est où?

_____

4. C'est un grand musée ou un petit musée?

_____

5. Vous y allez de temps en temps?

_____

6. Il y a des tableaux et des statues dans ce musée?

_____

7. Il y a souvent des expositions intéressantes?

_____

7 **Dites-nous...** Give the following information.

1. le nom d'un grand musée

   Answers will vary. _____

2. le nom d'un sculpteur (homme ou femme)

   _____

3. le nom de votre acteur favori

   _____

4. le nom de votre actrice favorite

   _____

5. le nom d'un tableau célèbre

   _____

6. le nom d'une statue

   _____

7. le titre d'un film policier

   _____

8. le titre d'un film de science-fiction

   _____

9. le titre d'un dessin animé

   _____

10. le titre d'une pièce de théâtre

    _____

11. le titre d'une comédie musicale

    _____

12. le titre d'une tragédie grecque

    _____

Structure Les verbes connaître et savoir

8 **Connaître et savoir** Rewrite the following sentence with each pronoun and make all necessary changes.

Je connais Marie et je sais qu'elle est française.

1. Il _____connaît Marie et il sait qu'elle est française_____.

2. Elle _____connaît Marie et elle sait qu'elle est française_____.

3. Nous _____connaissons Marie et nous savons qu'elle est française_____.

4. Je _____connais Marie et je sais qu'elle est française_____.

5. Tu _____connais Marie et tu sais qu'elle est française_____.

6. Vous _____connaissez Marie et vous savez qu'elle est française_____.

7. Ils _____connaissent Marie et ils savent qu'elle est française_____.

9 **L'Alsace, vous connaissez?** Complete with the correct form of **connaître** or **savoir**.

Karen et Melissa vont en France. Elles vont visiter l'Alsace. Elles

_____connaissent_____ assez bien Paris, mais elles ne _____connaissent_____
        1   2

pas bien le reste de la France. Elles _____savent_____ que Strasbourg est la
                                               3

capitale de l'Alsace. Elles ont vu des photos de Strasbourg et elles

_____savent_____ que c'est une ville pittoresque. Karen et Melissa veulent
              4

_____connaître_____ l'Alsace. Elles veulent _____savoir_____ si les
              5   6

restaurants alsaciens sont aussi bons que les restaurants parisiens. Elles

_____savent_____ qu'on sert beaucoup de choucroute en Alsace. Elles
              7

veulent _____savoir_____ s'il y a une influence allemande en Alsace.
              8

10 **Savez-vous que...?** Write what you know about the following cities. Begin each sentence with **je sais que.**

1. Paris _____*Answers will vary.*_____

_____

2. Nice _____

_____

3. Strasbourg _____

_____

Les pronoms **me, te, nous, vous**

11 **Souvent?** Follow the model.

—**Paul te parle tout le temps!**
—**Non, il me parle quelquefois.**
—**Il te parle très souvent.**

1. —Paul t'invite tout le temps!

— **Non, il m'invite quelquefois.** _____

— **Il t'invite très souvent.** _____

2. —Paul t'écrit tout le temps!

— **Non, il m'écrit quelquefois.** _____

— **Il t'écrit très souvent.** _____

3. —Paul te téléphone tout le temps.

— **Non, il me téléphone quelquefois.** _____

— **Il te téléphone très souvent.** _____

4. —Paul t'écoute tout le temps.

— **Non, il m'écoute quelquefois.** _____

— **Il t'écoute très souvent.** _____

5. —Paul te fait tout le temps des cadeaux.

— **Non, il me fait quelquefois des cadeaux.** _____

— **Il te fait très souvent des cadeaux.** _____

12 **Un bon père** Rewrite changing *Michelle* to *Michelle et Marie.*

—Michelle, ton père te téléphone souvent?

—Oui, il me téléphone tous les soirs.

—Il t'aime beaucoup?

—Oui, il m'adore.

—Michelle et Marie, __**votre père vous téléphone souvent?**_____

— __**Oui, il nous téléphone tous les soirs.**_____

— __**Il vous aime beaucoup?**_____

— __**Oui, il nous adore.**_____

Les pronoms **le, la, les**

13 **Un peu de culture** Answer in the affirmative using a pronoun. Follow the model.

—Tu ne connais pas ce musée?
—Si, je le connais.

1. —Tu ne connais pas cet acteur?

   — **Si, je le connais.**

2. —Tu ne connais pas cette actrice?

   — **Si, je la connais.**

3. —Tu ne connais pas cette pièce?

   — **Si, je la connais.**

4. —Tu ne connais pas ces chanteurs?

   — **Si, je les connais.**

5. —Tu ne connais pas ces chanteuses?

   — **Si, je les connais.**

6. —Tu ne connais pas ces tragédies?

   — **Si, je les connais.**

14 **Tout est possible.** Answer in the affirmative or in the negative, using a pronoun.

1. —Tu veux voir l'exposition de Monet?

   — **Oui, je veux la voir. / Non, je ne veux pas la voir.**

2. —Tu veux regarder les informations?

   — **Oui, je veux les regarder. / Non, je ne veux pas les regarder.**

3. —Tu veux inviter Bertrand?

   — **Oui, je veux l'inviter. / Non, je ne veux pas l'inviter.**

4. —Tu veux écouter la conférence de Giraud?

   — **Oui, je veux l'écouter. / Non, je ne veux pas l'écouter.**

5. —Tu veux voir le film de Laurel et Hardy?

   — **Oui, je veux le voir. / Non, je ne veux pas le voir.**

Un peu plus

 Une affiche Look at this poster and answer the following questions about it.

1. C'est une affiche pour un concert ou pour un ballet?

   Pour un concert.

2. Qui est le compositeur de ce requiem?

   Verdi

3. Où est l'église Saint-Augustin?

   Place Saint-Augustin, à Paris.

4. Quelle est la date de ce concert?

   Les 8 et 10 décembre.

5. C'est quels jours?

   Un dimanche et un mardi.

6. À quelle heure commence le concert?

   Le dimanche, il commence à 4 heures

   de l'après-midi et le mardi, il commence

   à huit heures et demie du soir.

7. À quel numéro peut-on téléphoner pour louer des places?

   Au 01 42 33 43 00

B **Dérivations** Some words are related. For example, the verb **chanter** and the noun **chanteur** are related. If you know one, you can guess the meaning of the other. Write the noun that corresponds to each of the following verbs.

1. danser ___**danseur**___

2. sculpter ___**sculpteur**___

3. jouer ___**joueur**___

4. voyager ___**voyageur**___

5. vendre ___**vendeur**___

6. servir ___**serveur**___

7. contrôler ___**contrôleur**___

8. laver ___**laveur**___

C **Un musée intéressant** Look at this ad for an unusual museum and answer the questions.

MUSÉE DE LA POUPÉE
"Au Petit Monde Ancien"

- *Exposition permanente d´une collection de poupées et bébés francais de 1860 à 1960*
- *Expositions temporaires à thème sur les poupées et jouets de collection*
- *Boutique cadeaux*
- *Clinique de la poupée*
- *Conférences sur l'histoire de la poupée*
- *Stages de création et de restauration de poupées*

IMPASSE BERTHAUD
PARIS 75003
(m° Rambuteau)
tel. 01 42 72 55 90

Ouvert du mercredi au dimanche
de 10 h à 18 h
le jeudi de 14 à 22 h

1. Où se trouve ce musée?

   À Paris, impasse

   Berthaud.

2. Quelle est la station de métro la plus proche?

   Rambuteau.

3. Quand le musée est-il fermé?

   Le lundi, le mardi et le jeudi

   matin.

4. Que veut dire le mot «poupée» en anglais?

   Doll.

5. Quel âge ont les poupées les plus vieilles?

   Presque cent cinquante ans.

6. Qu'est-ce qu'on peut faire d'autre dans ce musée?

   Acheter des cadeaux. Écouter

   des conférences sur l'histoire

   de la poupée. Apprendre à faire

   des poupées.

Mon autobiographie

Everyone gets involved in different cultural activities. Write about a cultural activity that interests you and mention others that you don't have any interest in.

Do you watch a lot of television? What programs do you watch? Do you think you watch too much television or not? What do your parents think about it?

Tell something about the drama club at your school. What kind of plays does it put on? Is there a school star? Describe him or her.

Write about the types of movies you like. Do you go to the movies often or do you rent videos?

Who are your favorite movie stars?

Mon autobiographie

CHAPITRE 14

Nom _____ Date _____

La santé et la médecine

Vocabulaire Mots 1

1 **La santé** Complete with an appropriate word.

1. Mathilde ne va pas bien. Elle est _____**malade**_____ .

2. Elle n'est pas en bonne santé. Elle est en _____**mauvaise**_____ santé.

3. Elle ne se sent pas bien. Elle se sent _____**mal**_____ .

4. Elle a très mal à la gorge. Elle a une _____**angine**_____ .

5. Elle prend de la _____**pénicilline**_____ , un antibiotique.

2 **Ça ne va pas?** Match each expression in the left-hand column with its equivalent in the right-hand column.

1. __**c**__ Il va très bien.

2. __**a**__ Elle a un rhume.

3. __**e**__ Elle a très mal à la gorge.

4. __**b**__ Elle a de la température.

5. __**d**__ Qu'est-ce qu'il a?

a. Elle est enrhumée.

b. Elle a de la fièvre.

c. Il se sent bien.

d. Qu'est-ce qui ne va pas?

e. Elle a une angine.

3 **Le pauvre Cyril** Cyril has the flu. Describe his symptoms.

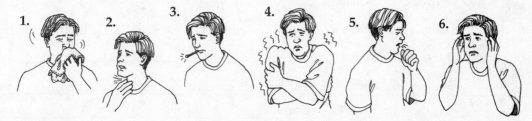

1. _____**Il éternue.**_____

2. _____**Il a mal à la gorge. / Il a la gorge qui gratte.**_____

3. _____**Il a de la fièvre.**_____

4. _____**Il a des frissons.**_____

5. _____**Il tousse.**_____

6. _____**Il a mal aux oreilles.**_____

4 **Des médicaments** Complete each sentence.

1. Je prends de l' _____aspirine_____ quand j'ai mal à la tête.

2. Je prends un _____antibiotique_____ quand j'ai une infection bactérienne.

3. Les gens qui ont des allergies sont _____allergiques_____.

4. La _____pénicilline_____ est un antibiotique.

5 **Quelle partie du corps?** Identify each part of the body.

1. _____la bouche_____ 2. _____le ventre_____ 3. _____les yeux_____

4. _____la tête_____ 5. _____l'oreille_____ 6. _____le nez_____

Vocabulaire Mots 2

6 **Chez le médecin** Answer.

1. Qui va chez le médecin, le malade ou le pharmacien? _____Le malade._____

2. Qui examine le malade? _____Le médecin._____

3. Qui ausculte le malade? _____Le médecin._____

4. Qui souffre? _____Le/La malade._____

5. Qui fait une ordonnance? _____Le médecin._____

6. Qui prescrit des médicaments? _____Le médecin._____

7. Qui vend des médicaments? _____Le pharmacien/La pharmacienne._____

8. Qui prend des médicaments? _____Le/La malade._____

Structure Les pronoms **lui, leur**

7   **Des malades** Rewrite each sentence, replacing the italicized words with a pronoun.

1. Le médecin parle *à Caroline*.

   Le médecin lui parle.

2. Le médecin parle *à Grégoire*.

   Le médecin lui parle.

3. Le malade pose une question *au pharmacien*.

   Le malade lui pose une question.

4. Le malade pose une question *à la pharmacienne*.

   Le malade lui pose une question.

5. Le pharmacien donne des médicaments *au malade*.

   Le pharmacien lui donne des médicaments.

6. Le pharmacien donne des médicaments *à la malade*.

   Le pharmacien lui donne des médicaments.

8   **Au téléphone** Rewrite the sentences, replacing the italicized words with an object pronoun.

1. Je téléphone à *mes copains*.

   Je leur téléphone.

2. Je parle *à Stéphanie*.

   Je lui parle.

3. Je parle *à Christian* aussi.

   Je lui parle aussi.

4. Je demande *à mes amis* comment ça va.

   Je leur demande comment ça va.

5. Je dis *à mes cousines* de me téléphoner.

   Je leur dis de me téléphoner.

6. Je dis au revoir *à mes cousines*.

   Je leur dis au revoir.

9 **Toujours au téléphone** Rewrite the sentences, replacing the italicized word(s) with **les** or **leur**.

1. Je téléphone *à mes amis*.

_____**Je leur téléphone.**_____

2. Je parle *à mes amis* en français.

_____**Je leur parle en français.**_____

3. J'aime bien *mes amis*.

_____**Je les aime bien.**_____

4. J'invite *mes amis* à une fête.

_____**Je les invite à une fête.**_____

5. Je demande *à mes amis* d'être à l'heure.

_____**Je leur demande d'être à l'heure.**_____

6. Je donne mon adresse *à mes amis*.

_____**Je leur donne mon adresse.**_____

10 **Je veux être seul.** Answer in the negative, using a pronoun.

1. Tu invites *Laurence*?

_____**Non, je ne l'invite pas.**_____

2. Tu vas téléphoner *à ton copain*?

_____**Non, je ne vais pas lui téléphoner.**_____

3. Tu vas voir *tes cousins*?

_____**Non, je ne vais pas les voir.**_____

4. Tu donnes ton numéro de téléphone *à tes amis*?

_____**Non, je ne leur donne pas mon numéro de téléphone.**_____

5. Tu vas expliquer ton problème *à tes parents*?

_____**Non, je ne vais pas leur expliquer mon problème.**_____

Les verbes **souffrir** et **ouvrir**

11 **Malade comme un chien!** Complete with the correct form of the verb in parentheses.

1. Oh là, là! Je _____ **souffre** _____ à mourir, beaucoup. (souffrir)

2. Le médecin m'examine la gorge. J'_____ **ouvre** _____ la bouche. (ouvrir)

3. Docteur, est-ce que tous les malades _____ **souffrent** _____ comme moi? (souffrir)

4. Non, vous, vous _____ **souffrez** _____ plus que les autres. (souffrir)

5. Je peux vous _____ **offrir** _____ un verre d'eau? (offrir)

6. Non merci, Docteur. Je préfère _____ **souffrir** _____! (souffrir)

12 **Finis les souffrances!** Rewrite each sentence in the **passé composé**.

1. Il souffre, le pauvre!

   Il a souffert, le pauvre!

2. Je souffre d'allergies.

   J'ai souffert d'allergies.

3. Toi aussi, tu souffres d'allergies?

   Toi aussi, tu as souffert d'allergies?

4. L'allergologiste m'offre ses services.

   L'allergologiste m'a offert ses services.

5. J'ouvre la porte et je sors quand il me dit le prix de la consultation!

   J'ai ouvert la porte et je suis sorti(e) quand il m'a dit le prix de la

   consultation!

L'impératif

13 **Visite médicale** Complete with the familiar form of the imperative.

1. Julien, _____ouvre_____ la bouche, s'il te plaît. (ouvrir)

2. _____Dis_____ «ah», s'il te plaît. (dire)

3. _____Fais_____ comme ça. (faire)

4. _____Prends_____ ces comprimés. (prendre)

5. _____Attends_____ un instant. (attendre)

6. Ne _____mange_____ rien cet après-midi. (manger)

14 **Autre visite médicale** Rewrite each sentence in Activity 13, using the formal form of the imperative. Make all the necessary changes.

1. Monsieur Gaspin, _ouvrez la bouche, s'il vous plaît._

2. _Dites «ah», s'il vous plaît._

3. _Faites comme ça._

4. _Prenez ces comprimés._

5. _Attendez un instant._

6. _Ne mangez rien cet après-midi._

15 **Des suggestions** Suggest what you and your friends may do, based on the illustrations.

1. _Écoutons des CD_

2. _Faisons du ski._

3. _Allons au restaurant._

4. _Mettons la table._

5. _Lisons le journal._

Le pronom **en**

 Je suis malade! Answer as indicated, using the pronoun **en**.

1. —Tu as de l'aspirine?

   —Oui, __j'en ai._____

2. —Tu as du sirop?

   —Non, __je n'en ai pas._____

3. —Tu as des médicaments?

   —Non, __je n'en ai pas._____

4. —Tu as de la pénicilline?

   —Non, __je n'en ai pas._____

5. —Tu as des kleenex?

   —Oui, __j'en ai._____

6. —Tu ne parles jamais de ta santé?

   —Non, __je n'en parle jamais._____

 Ta famille Give personal answers. Use the pronoun **en**.

1. Tu as combien de frères?

   ___*Answers will vary.*_____

2. Tu as combien de sœurs?

   _____

3. Tu as combien de cousins?

   _____

4. Tu as combien de cousines?

   _____

5. Tu as combien d'oncles?

   _____

6. Tu as combien de tantes?

   _____

Un peu plus

A **Le rhume** Read the following article that appeared recently in a popular French health magazine.

Éviter	•	Détecter	•	Soigner

• Comment éviter un rhume

La meilleure prévention repose sur une bonne forme physique et une hygiène de vie. Prenez les précautions que vous dicte le bon sens. Évitez les brusques variations de température. Mettez une «petite laine» ou un pull pour sortir. Prenez une alimentation riche en vitamine C (fruits et légumes pas trop cuits).

Le rhume est très contagieux. Évitez les lieux de grande concentration humaine et ne vous approchez donc pas trop d'une personne enrhumée.

• Comment détecter un rhume

Si vous avez le nez qui coule
Si vous éternuez
Si vous vous sentez fatigué(e)
Si vous avez une petite fièvre,.....sans doute....., c'est un rhume.

• Comment soigner un rhume

Il n'existe aucun traitement spécifique. Un rhume, traité ou non, dure une semaine. Vous pouvez cependant remédier aux désagréments qu'il provoque avec des médicaments dits *de conforts*.

Buvez beaucoup d'eau et de jus de fruits. Si la petite fièvre vous gêne, prenez un anti-thermique comme l'aspirine.

Les antibiotiques sont sans intérêt.

B **Comment dit-on?** In the article above, find the French equivalent for each of the following expressions.

1. how to avoid a cold ___comment éviter un rhume___

2. take precautions ___prenez les précautions___

3. good sense ___le bon sens___

4. sudden variations in temperature ___les brusques variations de température___

5. a slight fever ___une petite fièvre___

6. how to treat a cold ___comment soigner un rhume___

C **Répondez.** Give answers based on the selection.

1. Quelle est la meilleure prévention pour un rhume?

   ___Une bonne forme physique et une hygiène de vie.___

2. Pourquoi doit-on éviter les personnes enrhumées?

   ___Parce que le rhume est très contagieux.___

3. Quand on a un rhume, est-ce qu'il faut prendre des antibiotiques? De l'aspirine?

   ___Il ne faut pas prendre d'antibiotiques. On peut prendre de l'aspirine.___

4. Combien de temps dure un rhume?

   ___Une semaine.___

D **Plaques de médecins** Which doctor are you going to call?

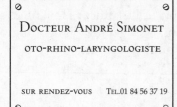 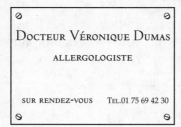 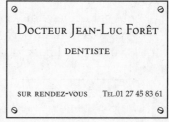

1. Vous avez mal aux yeux. Vous allez chez qui?

**Doc Juliette Delcourt   01 67 48 80 13**

2. Vous avez mal à la gorge. Vous téléphonez à qui?

**Doc André Simonet   01 84 56 37 19**

3. Vous avez mal aux dents. Vous allez chez qui?

**Doc Jean-Luc Forêt   01 27 45 83 61**

4. Vous avez une allergie. Vous téléphonez à qui?

**Doc Véronique Dumas   01 75 69 42 30**

5. Vous avez mal aux pieds. Vous allez chez qui?

**Doc Nicolas Robert   01 97 02 11 34**

Mon autobiographie

What is the name of your family doctor? Where is his or her office? How often do
you see him or her? Write about some minor ailments you get once in a while. Are
you a good patient or not? You may want to ask a family member.

Mon autobiographie

1 Make a list of five things you use when you get ready in the morning.

1. _**Answers will vary.**_____

2. _____

3. _____

4. _____

5. _____

2 Make a list of five things you do before going to school.

1. _**Answers will vary.**_____

2. _____

3. _____

4. _____

5. _____

3 Choose the correct completion.

1. On se regarde dans ___b___.
  a. un savon
  b. une glace
  c. un peigne

2. Elle se brosse ___c___.
  a. la figure
  b. les mains
  c. les cheveux

3. Le soir, elle ___c___.
  a. se lève
  b. se réveille
  c. se couche

4. Une pièce est divisée en ___c___.
  a. entractes
  b. acteurs et actrices
  c. actes

5. Les sous-titres sont pour ___b___.
  a. les films doublés
  b. les films étrangers
  c. les séances

6. J'ai un rhume. J'ai ___b___.
  a. une angine
  b. le nez qui coule
  c. un mouchoir

7. Il est en bonne ___c___.
  a. tête
  b. fièvre
  c. santé

Workbook, Teacher Edition
Copyright © Glencoe/McGraw-Hill

Bon voyage! Level 1, Self-Test 4 ⚜ **149**

4 Complete with the correct form of the verb in parentheses.

1. Je _____ **me lève** _____ à six heures et demie. (se lever)

2. Vous _____ **vous rasez** _____? (se raser)

3. Je _____ **me brosse** _____ les dents. (se brosser)

4. Mes parents _____ **se couchent** _____ à onze heures. (se coucher)

5. Nous _____ **nous réveillons** _____ tous les jours à la même heure. (se réveiller)

6. Tu _____ **te couches** _____ tard tous les soirs? (se coucher)

5 Rewrite the sentences in the **passé composé**.

1. Ma sœur et moi, nous nous levons tôt.

   ___**Ma sœur et moi, nous nous sommes levé(e)s tôt.**___

2. Je me réveille tôt.

   ___**Je me suis réveillé(e) tôt.**___

3. Ils se dépêchent.

   ___**Ils se sont dépêchés.**___

4. Vous vous couchez à quelle heure?

   ___**Vous vous êtes couché(e)(s) à quelle heure?**___

5. Nous nous amusons bien ensemble.

   ___**Nous nous sommes bien amusé(e)s ensemble.**___

6 Make the past participle agree when necessary.

1. Elle s'est lavé _____ la figure.

2. Elle s'est lavé ___**e**___.

3. Ils se sont lavé _____ les dents.

4. Je me suis brossé _____ les cheveux.

Nom _____ Date _____

7 Complete with the correct form of **savoir** or **connaître**.

1. Je _____ **connais** _____ cette fille.

2. Tu _____ **sais** _____ où elle habite?

3. Ils ne _____ **savent** _____ pas nager.

4. Vous _____ **connaissez** _____ bien Paris?

5. Je _____ **sais** _____ que la France est en Europe, mais je ne

_____ **connais** _____ pas le pays.

8 Answer using an object pronoun. The answer can be affirmative or negative.

1. Tu connais Marie?

_____ **Oui, je la connais. / Non, je ne la connais pas.** _____

2. Tu sais son numéro de téléphone?

_____ **Oui, je le sais. / Non, je ne le sais pas.** _____

3. Tes amis t'invitent souvent?

_____ **Oui, ils m'invitent souvent. / Non, ils ne m'invitent pas souvent.** _____

4. Tu invites souvent tes amis à des fêtes?

_____ **Oui, je les invite souvent. / Non, je ne les invite pas souvent.** _____

9 Answer using an object pronoun.

1. Tu connais la famille de Guillaume Bertollier?

Oui, _____ **je la connais** _____.

2. Tu parles souvent à sa sœur?

Oui, _____ **je lui parle souvent** _____.

3. Elle te parle quelquefois de moi?

Non, _____ **elle ne me parle jamais de toi** _____.

4. Tu peux lui parler de moi?

Non, _____ **je ne peux pas lui parler de toi** _____.

Workbook, Teacher Edition
Copyright © Glencoe/McGraw-Hill

Bon voyage! Level 1, Self-Test 4 ❖ **151**

10 Give personal answers. Use pronouns whenever possible.

1. Tu es souvent malade?

   *Answers will vary.* _____

2. Tu vas souvent voir le médecin?

   _____

3. Ton médecin est une femme ou un homme?

   _____

4. Tu trouves ton médecin sympathique?

   _____

5. Tu parles facilement de tout à ton médecin?

   _____

6. Quand est-ce que tu es allé(e) le voir la dernière fois?

   _____

7. Pour quelle genre de maladie?

   _____

11 Give personal answers, using a pronoun whenever possible.

1. Tu as des frères et sœurs? Combien?

   *Answers will vary.* _____

2. Ils s'appellent comment?

   _____

3. Tu as quelquefois des problèmes?

   _____

4. Tu parles souvent de tes problèmes à tes frères et sœurs?

   _____

5. Tu parles quelquefois de tes problèmes à tes ami(e)s?

   _____

6. Tu parles de l'école à tes parents?

   _____

Answers appear on page 156.

Nom _____ Date _____

Les copains et l'école

Vocabulaire et Conversation

1 **Valérie et Thomas** Complete with an appropriate word.

1. Valérie n'est pas américaine. Elle est _____ française _____.

2. Quelle est sa _____ nationalité _____? Elle est américaine ou française?

3. Valérie est _____ élève _____ dans un _____ collège / lycée _____.

4. Un _____ collège / lycée _____ est une école secondaire en France.

5. Thomas est français aussi. Il n'est pas _____ américain _____.

6. Thomas n'est pas le frère de Valérie. Thomas est son _____ ami / copain _____.

7. Thomas est très bon élève. Il est très _____ intelligent _____.

8. Thomas va au _____ cours _____ de français.

9. Il fait du français avec M. David. M. David est son _____ professeur _____ de français.

10. M. David est un très bon professeur. Il est _____ *Answers will vary.* _____.

2 **Au cours de français** Complete with an appropriate question word.

1. Marc va au cours de français.

   Il va _____ où _____?

2. Marc parle au professeur de français.

   _____ Qui _____ parle au professeur de français?

3. Marc parle au professeur de français.

   Marc parle à _____ qui _____?

4. Il parle au professeur dans la salle de classe.

   Il parle au professeur _____ où _____?

5. Le professeur est sympathique.

   _____ Comment _____ est le professeur?

6. Marc parle au professeur après le cours.

   _____ Quand _____ est-ce qu'il parle au professeur?

Structure L'accord des adjectifs

3 **Quel adjectif?** Complete with the correct form of the adjective in parentheses.

1. Le frère de Valérie est très _____ **amusant** _____. (amusant)

2. La sœur d'Olivier est _____ **blonde** _____. (blond)

3. Le prof n'est pas très _____ **strict** _____. Juste un peu. (strict)

4. Pour moi, le cours est vraiment _____ **difficile** _____. (difficile)

5. L'amie de Charles est _____ **intelligente** _____. (intelligent)

6. Elle est _____ **sympathique** _____ aussi. (sympathique)

7. La classe est très _____ **grande** _____. (grand)

8. L'école _____ **secondaire** _____ est assez _____ **grande** _____.
(secondaire, grand)

4 **Au pluriel** Rewrite the sentences from Activity 3 in the plural and make all necessary changes.

1. __**Les frères de Valérie sont très amusants.**__

2. __**Les sœurs d'Olivier sont blondes.**__

3. __**Les profs ne sont pas très stricts. Juste un peu.**__

4. __**Pour moi, les cours sont vraiment difficiles.**__

5. __**Les amies de Charles sont intelligentes.**__

6. __**Elles sont sympathiques aussi.**__

7. __**Les classes sont très grandes.**__

8. __**Les écoles secondaires sont assez grandes.**__

5 **Christophe** Describe the boy in the illustration.

Answers will vary but may include the

following: Christophe est blond. Il est grand. Il

est français. Il est sympathique.

Nom _____ Date _____

 6 **Camille** Describe the girl in the illustration.

Answers will vary but may include the following: Camille est blonde.

Elle est grande. Elle est française. Elle est sympathique.

_____

_____

_____

 7 **Sam et Olivia** Describe the students in the illustration.

Answers will vary but may include the following: Sam et Olivia sont

américains. Ils sont bruns. Ils sont très intelligents.

_____

_____

_____

Workbook, Teacher Edition
Copyright © Glencoe/McGraw-Hill

Les verbes **être** et **aller**

8 **Mon école** Complete with the correct form of **être** or **aller**.

Je _____**suis**_____ de New York. Je _____**vais**_____ à l'école à

1   2

New York. New York _____**est**_____ une très grande ville.

3

Il y a combien d'élèves dans notre école? Nous _____**sommes**_____ 3 700

4

élèves. Nous _____**allons**_____ à l'école en bus, en métro ou à pied.

5

Et toi, tu _____**es**_____ d'où? Tu _____**vas**_____ à l'école

6   7

où? Il y a combien d'élèves dans ton école? Tu y _____**vas**_____ en

8

métro comme nous?

9 **Nous aussi** Rewrite each sentence with a plural subject.

1. Je suis américain(e).

Nous sommes américain(e)s.

2. Je vais à l'école près d'ici.

Nous allons à l'école près d'ici.

3. Le professeur est très intelligent.

Les professeurs sont très intelligents.

4. Le cours est intéressant.

Les cours sont intéressants.

10 **Mon ami(e)** Give personal answers.

1. Comment s'appelle ton ami(e)?

Answers will vary.

2. Comment est-il/elle?

_____

3. Il/Elle va à quelle école?

_____

4. Vous allez à la même école?

_____

5. Vous êtes dans la même classe?

_____

Les contractions

11 **On va où?** Complete.

1. Je vais ____à la____ boulangerie et mon frère va ____à la____ boucherie.

2. Ma sœur va ____au____ supermarché et je vais ____au____ marché.

3. Ils vont ____au____ restaurant et nous allons ____au____ café.

4. Les élèves parlent ____aux____ professeurs et les professeurs parlent

____aux____ élèves.

12 **C'est où?** Complete with **près de** or **loin de** plus a definite article.

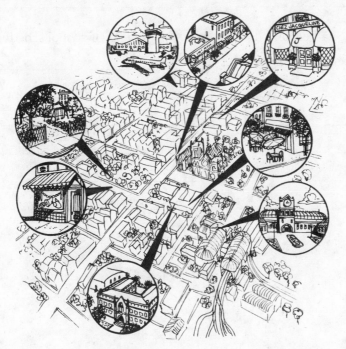

1. Le lycée est ____près du____ café.

2. La boucherie est ____loin du____ restaurant.

3. La gare est ____loin de l'____ aéroport.

4. Le parc est ____près de la____ boucherie.

5. Le café est ____près des____ magasins.

6. Les magasins sont ____près de la____ gare.

Un peu plus

13 **Un copain ou une copine** Write a paragraph describing a good friend.

Answers will vary.

_____

_____

_____

_____

_____

_____

14 **Une journée à l'école** Write a paragraph about your school schedule and classes.

Answers will vary.

_____

_____

_____

_____

_____

_____

Révision B

La famille

Vocabulaire et Conversation

1 **Chez Johanne** Give answers based on the illustration.

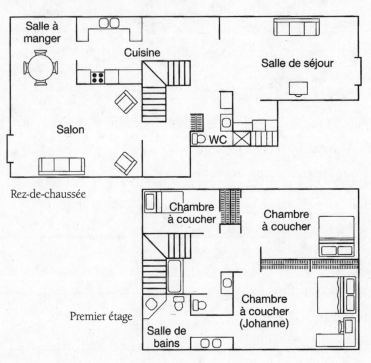

Rez-de-chaussée

Premier étage

1. Comment est la maison de Johanne?

   Answers may vary. **Elle est grande.**

2. Il y a combien de pièces au rez-de-chaussée?

   Il y a quatre pièces au rez-de-chaussée.

3. Il y a combien de chambres à coucher dans la maison?

   Il y a trois chambres à coucher dans la maison.

4. Les chambres à coucher sont à quel étage?

   Au premier étage.

5. Comment est la chambre de Johanne?

   Elle est grande.

6. Où est-ce qu'elle regarde la télévision?

   Elle regarde la télévision dans la salle de séjour.

2 **L'anniversaire de Johanne** Give answers based on the illustration.

1. Qu'est-ce qu'il y a chez Johanne?

   Une fête (pour son anniversaire).

2. À quelle heure est-ce que les copains de Johanne arrivent?

   À sept heures et demie.

3. Qu'est-ce qu'ils regardent?

   La télévision.

4. Ils parlent quelle langue?

   Ils parlent français.

5. Qu'est-ce qu'ils écoutent?

   De la musique.

6. Ils rigolent bien ensemble?

   Oui, ils rigolent bien ensemble.

3 **Quel est le mot?** Match each term in the left column with the related one in the right column.

1. __c__ du rock   **a.** un repas

2. __f__ un parent   **b.** une boulangerie

3. __a__ le dîner   **c.** de la musique

4. __e__ une matière   **d.** une maison

5. __d__ une pièce   **e.** l'école

6. __b__ du pain   **f.** un enfant

4 **Questions** Write a question. Use the following words.

qui	où	quel
qu'est-ce que	combien	d'où
comment		

1. *La famille Grandet* a une jolie maison près de Lyon.

   Qui a une jolie maison près de Lyon?

2. Leur maison est *assez grande*.

   Comment est leur maison? / Leur maison est comment?

3. Leur maison a *neuf pièces*.

   Leur maison a combien de pièces?

4. Les Grandet ont *deux enfants*.

   Les Grandet ont combien d'enfants?

5. Leur fils a *douze ans*.

   Leur fils a quel âge?

6. Et leur fille a *quinze ans*.

   Leur fille a quel âge?

7. Maintenant, ils habitent *près de Lyon*.

   Maintenant, ils habitent où?

8. Mais ils sont *de Toulouse*.

   Ils sont d'où?

5 **Quelle activité où?** Match the activity with the place.

1. __f__ dîner   **a.** dans la cour de l'école

2. __h__ regarder la télé   **b.** du balcon

3. __e__ jouer avec le chien   **c.** au magasin

4. __a__ rigoler   **d.** en classe

5. __g__ monter en ascenseur   **e.** dans le jardin

6. __b__ avoir une belle vue   **f.** dans la salle à manger

7. __c__ acheter un cadeau   **g.** dans l'immeuble

8. __d__ écouter le prof   **h.** dans la salle de séjour

Nom _____ Date _____

Structure Les verbes réguliers en -er

6 **Qui?** Complete with the appropriate pronoun.

1. Tu parles français? Oui, _____**je**_____ parle français.

2. Tes copains et toi, vous travaillez bien? Oui _____**nous**_____ travaillons bien.

3. Vous écoutez le professeur? Oui, _____**nous**_____ écoutons le professeur.

4. Le professeur est sympathique? Oui, _____**il**_____ est sympathique.

5. Les élèves aiment bien le professeur? Oui, _____**ils**_____ aiment bien le professeur.

6. La prof de français invite sa classe au restaurant? Non, _____**elle**_____ n'invite pas sa classe au restaurant.

7 **Une fête** Complete with the correct form of the indicated verb.

Nous _____**donnons**_____ (donner) une grande fête. Nous
                   1

_____**invitons**_____ (inviter) tous nos amis. Céline
        2

_____**téléphone**_____ (téléphoner) à tout le monde. Elle
         3

_____**invite**_____ (inviter) dix filles et dix garçons.
      4

Les amis _____**arrivent**_____ (arriver) à six heures et demie. Tout le
              5

monde _____**parle**_____ (parler) beaucoup. Mais les garçons
            6

_____**regardent**_____ (regarder) la télévision et les filles
         7

_____**écoutent**_____ (écouter) des cassettes. Typique!
        8

8 **Non.** Rewrite each sentence in the negative.

1. Elle habite à Chicago.

   Elle n'habite pas à Chicago.

2. Nous aimons le jazz.

   Nous n'aimons pas le jazz.

3. Je travaille bien en classe.

   Je ne travaille pas bien en classe.

4. Jonathan parle français.

   Jonathan ne parle pas français.

9 **Chez moi** Make a list of activities you do at home.

1. _Answers will vary._ _____

2. _____

3. _____

4. _____

10 **À l'école** Make a list of things you do at school.

1. _Answers will vary._ _____

2. _____

3. _____

4. _____

11 **Après les cours** Make a list of activities you do after school.

1. _Answers will vary._ _____

2. _____

3. _____

4. _____

Le partitif

12 **Qu'est-ce que tu as?** Complete with the partitive.

1. Qu'est-ce que tu as dans ton frigo? Tu as _____du_____ jambon?

2. Tu as _____des_____ yaourts à la vanille?

3. Tu as _____du_____ fromage?

4. Tu as _____de la_____ glace au chocolat?

5. Tu as _____de l'_____ eau minérale?

6. Tu as _____de la_____ limonade?

7. Tu as _____des_____ saucisses de Francfort?

8. Tu as _____de la_____ salade?

13 **Au négatif** Rewrite the sentences in the negative.

1. Il y a de la viande?

Il n'y a pas de viande?

2. Caroline fait des sandwiches.

Caroline ne fait pas de sandwichs.

3. Les enfants mangent des petits gâteaux.

Les enfants ne mangent pas de petits gâteaux.

4. Vous avez du pain?

Vous n'avez pas de pain?

5. Nous avons de la glace.

Nous n'avons pas de glace.

6. Tu veux de l'eau?

Tu ne veux pas d'eau?

7. Il y a de l'huile?

Il n'y a pas d'huile?

14 **Quel article?** Fill in with the appropriate article.

1. Vous aimez _____ **le** _____ poisson?

2. Non, je n'aime pas _____ **le** _____ poisson.

3. Je ne mange pas _____ **de** _____ poisson.

4. Mais j'aime beaucoup _____ **les** _____ crevettes.

5. Moi, je n'aime pas beaucoup _____ **les** _____ crevettes.

6. Je préfère _____ **les** _____ crabes.

7. Mes parents, eux, préfèrent manger _____ **de la** _____ viande.

8. Ils ne mangent pas _____ **de** _____ légumes.

9. Ma sœur mange _____ **de la** _____ salade, et encore de la salade, mais pas _____ **de** _____ pommes de terre.

10. Mon frère, lui, mange de tout: _____ **de la** _____ viande, _____ **du** _____ poisson, _____ **des** _____ pommes de terre, _____ **des** _____ pâtisseries... et il est comme une montagne!

Les verbes **avoir** et **faire**

15 Ce trimestre Give personal answers.

1. Tu as combien de cours ce trimestre?

   Answers will vary. _____

2. Tu as quels cours?

   _____

3. Tu as qui comme prof de français?

   _____

4. Tu fais du sport?

   _____

16 Et vous? Rewrite the questions in Activity 15, using **vous** instead of **tu.**

1. **Vous avez combien de cours ce trimestre?**

2. **Vous avez quels cours?**

3. **Vous avez qui comme prof de français?**

4. **Vous faites du sport?**

17 Réponses Now answer the questions in Activity 16 for you and your best friend.

1. *Answers will vary but will use the* **nous** *form of the verb.*

2. _____

3. _____

4. _____

18 Et votre ami(e)? Now answer the questions in Activity 16 for a friend of yours. Mention his or her name.

1. *Answers will vary but will use the* il / elle *form of the verb.*

2. _____

3. _____

4. _____

Un peu plus

19 **Une fête** Write a paragraph telling what you and your friends do at a party.

_____ *Answers will vary.* _____

_____

_____

_____

_____

_____

_____

_____

_____

20 **Au café** Look at this illustration of a café and write a paragraph about it.

_____ *Answers will vary.* _____

_____

_____

_____

_____

_____

_____

_____

_____

Les courses

Vocabulaire et Conversation

1 **Un pique-nique** Make a list of what is needed for a good picnic.

Answers will vary. _____

_____

_____

2 **Quel est le mot?** Match each term in the left column with the related one in the right column.

1. __e__ deux tranches de jambon   **a.** une boulangerie

2. __a__ une baguette   **b.** une boucherie

3. __c__ une bouteille d'eau minérale   **c.** une épicerie

5. __b__ un poulet   **d.** une crémerie

6. __d__ 200 g de beurre   **e.** une charcuterie

3 **Qu'est-ce que c'est?** Identify each item.

1. ____des bananes____ 2. ____des pommes____ 3. ____une poire____

4. ____des tomates____ 5. ____des pommes de terre____ 6. ____une salade____

7. ____des haricots verts____ 8. ____un oignon____

Nom _____ Date _____

4 **Chloé** Make a list of the clothes Chloé is wearing.

1. *Answers may vary.*   des sandales
2. une jupe longue
3. un t-shirt
4. un sweat-shirt

5 **Romain** Make a list of the clothes Romain is wearing.

1. *Answers may vary.*   une chemise
2. une cravate
3. une veste
4. un pantalon
5. des chaussettes
6. des chaussures

Structure Les verbes **vouloir** et **pouvoir**

6 **Qui veut?** Complete with the appropriate form of the verb **vouloir**.

1. Tu veux parler?

   Oui, je _____ **veux** _____ parler.

2. Vous voulez parler aussi?

   Oui, nous _____ **voulons** _____ parler aussi.

3. Ils veulent parler aussi?

   Oui, ils _____ **veulent** _____ parler aussi.

4. Elles veulent parler aussi?

   Oui, elles _____ **veulent** _____ parler aussi.

5. Il veut parler aussi?

   Oui, il _____ **veut** _____ parler aussi.

6. Alors, c'est bien simple, tout le monde _____ **veut** _____ parler!

7 **Impossible** Complete with the correct form of the verb **pouvoir**.

1. Tu vas aider ta mère?

   Je ne _____ **peux** _____ pas, je vais au cinéma.

2. Il va aider son frère?

   Il ne _____ **peut** _____ pas, il travaille ce soir.

3. Ils vont aider leur père?

   Ils ne _____ **peuvent** _____ pas, ils vont à une fête.

4. On va aider Papa?

   On ne _____ **peut** _____ pas, il y a un bon film à la télé.

5. Vous allez aller au restaurant?

   Non, pas ce soir. Nous ne _____ **pouvons** _____ pas.

L'infinitif

8 **Ce que j'aime faire** List five things you like to do.

1. _Answers will vary._ _____
2. _____
3. _____
4. _____
5. _____

9 **Ce que je n'aime pas faire** List five things you do not like to do.

1. _Answers will vary._ _____
2. _____
3. _____
4. _____
5. _____

10 **À la maison mais pas à l'école** List five things you can do at home but not at school.

1. _Answers will vary._ _____
2. _____
3. _____
4. _____
5. _____

11 **Après les cours, mais pas à la maison** List five things you can do after school but not at home.

1. _Answers will vary._ _____
2. _____
3. _____
4. _____
5. _____

12 **Je veux mais je ne peux pas.** List five things you want to do but cannot do.

1. _Answers will vary._ _____

2. _____

3. _____

4. _____

5. _____

Le verbe **prendre**

13 **Au café** Complete with a form of the verb **prendre**.

1. Nous, on _____ **prend** _____ des sandwichs.

2. Elle, elle _____ **prend** _____ un hot-dog.

3. Nous, nous ne _____ **prenons** _____ pas de hot-dog. Nous

   _____ **prenons** _____ des sandwiches au Brie.

4. Et eux? Je ne sais pas ce qu'ils _____ **prennent** _____ .

5. Et moi, qu'est-ce que je _____ **prends** _____ ?

6. Eh ben, tu _____ **prends** _____ comme moi!

14 **Au pluriel** Rewrite the sentences in the plural.

1. Quand je regarde la télévision, j'apprends beaucoup de choses intéressantes.

   Quand nous regardons la télévision, nous apprenons beaucoup de

   choses intéressantes.

2. Quand tu écoutes bien le professeur, tu comprends ce qu'il dit.

   Quand vous écoutez bien le professeur, vous comprenez ce qu'il dit.

   _____

3. Quand il ne comprend pas, il pose une question.

   Quand ils ne comprennent pas, ils posent une question.

   _____

Un peu plus

15 **Des vêtements à tout prix!** You have nothing to wear. Make a list of the clothes you want to buy and decide where you are going to buy them. Finally calculate how much money you need.

Answers will vary.

_____

_____

_____

_____

_____

_____

_____

_____